Comme une odeur de muscles

Contes de village

Collection « Paroles »

Planète rebelle

Fondée en 1997 par André Lemelin,
dirigée par Marie-Fleurette Beaudoin depuis 2002
6742, rue Saint-Denis, Montréal (Québec) H2S 2S2 CANADA
Téléphone : (514) 278-7375 – Télécopieur : (514) 278-8292
Adresse électronique : info@planeterebelle.qc.ca
Site Web : www.planeterebelle.qc.ca

Illustration et conception de la page couverture : Tanya Johnston Art + Design
Révision : Janou Gagnon
Correction d'épreuves : Diane Trudeau
Mise en pages : Tanya Johnston Art + Design
Impression : Imprimerie Gauvin ltée

Les éditions Planète rebelle bénéficient des programmes d'aide à la publication du Conseil des Arts du Canada (CAC), de la Société de développement des entreprises culturelles du Québec (SODEC) et du «Gouvernement du Québec – Programme de crédit d'impôt pour l'édition de livres – Gestion SODEC».

Distribution en librairie :
Diffusion Prologue, 1650, boul. Lionel-Bertrand
Boisbriand (Québec) J7H 1N7
Téléphone : (450) 434-0306 – Télécopieur : (450) 434-2627
Adresse électronique : prologue@prologue.ca
Site Web : www.prologue.ca

Distribution en France :
Librairie du Québec à Paris, 30, rue Gay-Lussac, 75005 Paris
Téléphone : 01 43 54 49 02 – Télécopieur : 01 43 54 39 15
Adresse électronique : liquebec@noos.fr

Dépôt légal : 3e trimestre 2005
Bibliothèque nationale du Québec
Bibliothèque nationale du Canada
ISBN : 2-922528-55-3

Imprimé au Canada

FRED PELLERIN

COMME UNE ODEUR DE MUSCLES

Contes de village

Planète rebelle

Parus dans la collection « Paroles »

La Désilet s'est fait engrosser par un lièvre. Le temps des semailles, Renée Robitaille
Planète rebelle, Montréal, 2005

La Grande Nuit du conte – Vol. 2, collectif
Planète rebelle, Montréal, 2004

Jos Gallant et autres contes inventés de l'Abitibi, André Lemelin
Planète rebelle, Montréal, 2004

Les contes des mille et une ères, Oro Anahory-Librowicz
Planète rebelle, Montréal, 2003

Tant d'histoires autour des seins, collectif
Planète rebelle, Montréal, 2003

Portraits en blues de travail, Jocelyn Bérubé
Planète rebelle, Montréal, 2003

Les Dimanches du conte. Déjà 5 ans !, collectif
Les conteurs du Sergent recruteur
Planète rebelle, Montréal, 2003

Il faut prendre le taureau par les contes !, Fred Pellerin
Planète rebelle, Montréal, 2003

Raconte-moi que tu as vu l'Irlande, Mike Burns
Planète rebelle, Montréal, 2003

Les jours sont contés. Portraits de conteurs,
Danielle Bérard et Christian-Marie Pons
Planète rebelle, Montréal, 2002

Delirium tremens, Jean-Marc Massie
Planète rebelle, Montréal, 2002

Le bonhomme La Misère, Denis Gadoury
Planète rebelle, Montréal, 2002

Terre des pigeons, Éric Gauthier
Planète rebelle, Montréal, 2002

Les contes de la Poule à Madame Moreau, Claudette L'Heureux
Planète rebelle, Montréal, 2002

Paroles de terroir, Jacques Pasquet
Planète rebelle, Montréal, 2002

Dans mon village, il y a belle Lurette..., Fred Pellerin
Planète rebelle, Montréal, 2001

Contes coquins pour oreilles folichonnes, Renée Robitaille
Planète rebelle, Montréal, 2001

Ti Pinge, Joujou Turenne
Planète rebelle, Montréal, 2000 (épuisé)

Ma chasse-galerie, Marc Laberge
Planète rebelle, Montréal, 2000

Hold-up ! Contes du Centre-Sud, André Lemelin
Planète rebelle, Montréal, 1999 (épuisé)

À Marie-Fée

Ah ! Que nous devons être fiers
d'avoir su garder intactes nos croyances :
le loup-garou, la chasse-galerie
et la démocratie.
Gratien Gélinas

Donnez-moi un point d'appui,
et je soulèverai le monde.
Archimède

Merci à Eugène Garand, Roger Dallaire, Marianne Pellerin, Micheline Sarrazin, André Pellerin, Martine Thibault, Marie-Josée Plouffe, Steve Branchaud, Eddy Massé, Martin Gagné, Geneviève Pronovost, Stéphane chauffeur-de-Limoges, feu le père Anselme Chiasson, Daniel Laroche, Roxanne Bouchard, Jean-François Gagnon-Branchaud, Pierre Watson Gendron, Patricia Beaulieu, André Garant, Léo Déziel, M'sieur Munger, André Lapointe, Janou Gagnon, et tous les autres que je n'oublie pas...

Table des matières

Préface

> *Un esprit qui marche de lueur en lueur [...],*
> *et qui s'arrête éperdu – au bord de l'infini.*
>
> Victor Hugo

Il est de ces alentours qui valent la peine, sans peine, que l'on s'y attarde. Des lieux bâtis de grandes mémoires de petits hommes. Des quotidiens si quotidiens qu'ils n'ont jamais pris place dans aucun agenda... Aucun livre d'Histoire. Un jour, un oiseau moqueur laisse tomber sa plume entre les doigts agiles d'un conteux, et des héros naissent dans un village « qui n'a toujours pas de point sur la carte du pays ». Et ces héros, de nature et de stature surdimensionnées, s'aventurent dans l'inénarrable univers de Fred Pellerin...

Comme une odeur de muscles

Un autre livre-disque pour Fred Pellerin, en fait le troisième du genre, inspiré directement de son dernier spectacle mais à la différence près que, loin de relater de manière exacte l'intégralité de l'œuvre scénique, Pellerin nous y révèle un autre de ses talents : celui d'écrivain. Comme si ses personnages, à force de forcer de l'âme et du cœur, lui livraient l'essence même de leur humanité.

Dans *Comme une odeur de muscles,* sa grand-mère Bernadette, berçante dans tous les sens du terme, accompagne Fred tout le long de son parcours et signe au passage des leçons de vie que l'on n'enseigne plus que dans les livres de contes. *La vraie force, c'est pas celle qui éteint les feux, c'est celle qui fait tourner les vents.* Des histoires qui se terminent bien simplement parce que, dans l'univers bâti sur le toit du village de Fred Pellerin, c'est l'humain qui gagne toutes les guerres, même parfois contre lui-même. C'est le cas pour Ésimésac Gélinas, « l'homme le plus fort du monde de Saint-Élie-de-Caxton », qui deviendra un héros malgré lui.

Lire Fred Pellerin, c'est réapprendre à observer le monde qui nous entoure en partant du plus petit, pour le faire grandir par la force de l'imaginaire. C'est se réapproprier l'histoire, confiants qu'elle ne nous laissera pas tomber. C'est reconnaître les traces de pas laissées par ceux qui nous ont précédés, dessiner les portraits des hommes et des femmes qui les ont gravées dans la *trail* et continuer de marcher, d'avancer, pour que nos empreintes se transforment aussi en histoires... à leur tour. Un jour...

Un conseil de lecture : ne négligez aucun détail de ces récits ruraux, si petit soit-il, vous y perdriez le sens du destin d'un village en voie d'ouverture !

Quant à moi, j'écoute, je lis, je goûte, je ris...

Martine, une amie !

N.D.L.R. : Martine Thibault côtoie Fred Pellerin depuis quelques années à bord des Productions Micheline Sarrazin. Depuis assez longtemps pour que le travail n'en soit plus. Et pourtant, elle demeure très, très objective et, à n'en point douter, une précieuse collaboratrice.

Mise au point

La forme de la terre était le moindre de leur souci.

Jacques Ferron

Saint-Élie-de-Caxton est un village normal. Normal dans le sens où ça prend du temps avant de s'en rendre compte. C'est un petit paquet de rues et de rangs tortillés, avec des gens et des idées. Et une façon de se les dire.

Saint-Élie-de-Caxton est un village qui existe puisqu'on y paie des taxes municipales. D'ailleurs, si jamais on nous apprenait que notre village n'existe pas, on serait nombreux à demander un remboursement. Et on inclut la personne qui parle. Surtout que les taxes ont tendance à augmenter. Alors on imagine que notre existence ne va pas en diminuant. Si on se fie aux relevés fonciers, on peut même se permettre de croire qu'on existe de plus en plus. On existe beaucoup. Entre nous. Sinon, en-dehors du cercle, il n'y a pas grand-chose qui apparaît.

Saint-Élie-de-Caxton est un village qui n'a toujours pas de point sur la carte du pays. Encore moins sur celle du monde. Et ce n'est pas parce qu'on n'en a pas voulu. Pendant longtemps, on a attendu le formulaire à remplir du ministère topographique. Jamais reçu. Il était donc devenu nécessaire d'agir et d'imposer notre libellation. Sans condition. Les habitants du village ont fait front commun, du tour et de la tête, et demandé reconnaissance de leur existence. Avec traçage de notre petit point localisé en guise de bonne foi. En réponse aux pressions, les autorités tracèrent un piton noir dans l'agrandissement qu'on trouve au coin inférieur droit de la carte du Québec.

Ça fait loin. Si on se fie au pied de la lettre, ça donne l'impression qu'il faille passer par l'Île-du-Prince-Édouard pour embarquer sur le traversier puis se transporter jusque chez nous. Constat grave. Chez les contribuables, plusieurs ont crié au scandale. Mais on s'est résorbés. Nous savons maintenant que nous ne sommes pas qu'une simple marque sur une mappe. Nous savons que notre existence ne dépend plus des traceurs de géographie miniaturisée. Qu'ils continuent d'en faire du dessinage à l'échelle et des transpositions géométriques. De notre côté, on préfère encore vivre à l'écart plutôt que de vivre à l'équerre. Qu'ils nous mettent où ils le veulent et on existera comme on l'entend. Entre nous.

* * *

Saint-Élie-de-Caxton est un village normal. Avec des gens et des idées. Un patelin qui se porte sur le dos de ses personnages. Parfois perdu dans les eaux internationales. En zone franche. Parfois dans un pli percé d'une carte trop vieillie. Comme un Saint-Élie-de-Partout, dont le point demeure vague... Chose sûre, pour se rendre dans notre coin, le plus court chemin, ça demeure l'agrandissement. On habite tout près de la légende.

CHAPITRE 0
DANS LA PRISON DE L'OMBRE

Délecture

J'ai beaucoup de respect pour le passé
parce qu'un jour il fut l'avenir [...].
Louis Bournival

Ma grand-mère, elle était contante. Comme le verbe. « Conter » au participe présent. Et elle s'accordait. En genre. Sans l'ombre d'un enfargeage d'auxiliaire ou de manigances grammairiennes. Elle s'accordait avec elle-même.

C'était une femme berceuse. Assidue dans sa vieille chaise de bois. Et elle craquait. Ma grand-mère craquait, mais la chaise surtout. Elle craquait sur l'élan du dos. Vers l'arrière. Et comme elle n'était pas du genre à craquer dans l'aléatoire, elle s'alignait le crac sur le tac de l'horloge. À vitesse de croisière, on perdait une seconde sur deux. Tic et Crac. Ma grand-mère, elle tuait le temps au jeu de la chaise et du pendule.

En grande navigatrice du prélart onduleux, elle tenait gouverne devant la fenêtre de la cuisine. Le meilleur point de vue. Et son regard portait sur tous ces névralgiques de la rue Principale de Saint-Élie-de-Caxton. Elle divoguait de chaise dans de grandes traversées. Et son tableau de bord. À main droite. Une série d'instruments sophistiqués sur le rebord. Pour tenir longtemps dans les cas où.

— Il y avait le Pepsi diet, d'abord. Une petite bouteille revissable. Toujours diet, parce que ma grand-mère se donnait l'ouvrage de mastiquer chacune de ses gorgées. Sans sucre, les bulles sont soupçonnées plus molles.

— À côté, le kleenex. Tout plié. Un mouchoir de papier à usage unique mais répété. Des allures de pétales d'origami. Comme une marguerite dénudée de promesses.

— Tout près, son dentier. Au cas où des abordages-surprises. Un sourire d'urgence pour le genre de visite qui n'appelle pas avant d'arriver.

Derrière le dossier, il y avait le meuble de la machine à coudre. Singer. Avec les pattes en fer forgé. Posée dessus, une cage d'oiseau décousue. Et dans la cage, un livre. Un. Ma grand-mère, c'était la femme d'un seul livre. De toute façon, qu'on lui en eût acheté des douzaines, ça n'aurait fait aucune différence. Parce qu'elle ne savait pas lire. Analphabète, mais pas moins liseuse pour autant. Dans les pages indéchiffrables de son unique, au-delà de la lecture, elle délectait.

— Il était une fois…

Une langue à convictions. Et si le début de l'histoire donnait une impression de déjà-vu, on rechignait un peu. Elle faisait oui de la tête aux pieds. Elle refermait le livre. Elle le secouait dans ses vieilles mains. Elle brassait les pages pour en mélanger le contenu. Comme un jeu de cartes. Avec toujours les mêmes figures, mais jamais le même hasard.

— Il était deux fois…

Ainsi pour les histoires, ainsi pour toutes les recettes de cuisine, les prévisions météorologiques et numéros de téléphone qu'elle savait trouver lorsque bien agitée. Sans compter les moments magiques où elle posait son livre ouvert sur l'accotoir du piano pour en tirer une mélodie. Elle jouait à l'œil.

— Il était quatre fois...

C'était sa manière personnelle. L'analphabétisme de ma grand-mère. Ce qu'elle compensait par un grand soin d'imaginatisme débridé. Et une manière de nous pendre à ses lèvres. C'était une bouche. À nous rire.

— Il était cent fois...

Tous les érudits ne sauraient faire mieux. Elle se berçait. Le livre sur ses genoux. Les idées déliées. À lire sans regarder comme à croire sans voir. Elle avait la fois. Et pas qu'une.

— Il était mille fois...

De ces fois qui déplaçaient nos montagnes.

* * *

Un jour, j'ai su lire. J'ai su les rouages d'une reliure. Et j'ai vu son livre tomber sur le plancher. Par brassage trop insistant. Ou par manque de tonus dans les mains plissées. Elle a repris le morceau par terre et j'ai remarqué. À l'envers. Et l'histoire a commencé par la fin.

Saint-Élie

Le bébé boum

… ils se marièrent, vécurent heureux et eurent de nombreux enfants. Et ça se passait à côté. Dans le village. En ce temps où les rêves de colonisation se transposaient en taux de natalité explosifs. La mitraillette utérine. Les familles débordaient de futur jusqu'à se bâtir le pays. Les bébés apparaissaient entre les jambes de leur mère à la queue leu leu. Pas le temps d'une sieste entre les contractions de l'un que le suivant donnait déjà des coups de pied. Un éternuement subit, et ça vous roulait en-dessous de la table. C'était en ce temps où les curés veillaient aux grains de chapelet. Et ça revolait comme des pop-corn sur le feu.

Cette famille qui nous concerne, elle exemplait par le nombre. Pas loin de cinq cents rejetons. Quatre cent soixante-treize, pour être exact. Des promesses gigoteuses accumulées dont ils prenaient soin comme à autant de prunelles s'ils avaient eu assez de yeux pour fournir. Ils les aimèrent, bercèrent, lavèrent, consolèrent, élevèrent et nourrissèrent. Jusqu'à s'en démancher les passés simples. Une ribambelle d'avenirs. Comme une démographie à domicile.

Des parents à plaindre ? On dit qu'au-delà les trente douzaines, il devient plus difficile de les baptiser que de les accoucher. À cause des prénoms. Usuels usés à la corde. Suspendus au mince fil de l'alphabet. Parce que les initiales ont des limites connues. Les papes qui ont compris ont fini par se donner des chiffres.

À quatre cent soixante-treize enfants, les éventualités dénominatives épuisaient. Comme une fin de générique. Et les géniteurs, avec sagesse, décidèrent de s'arrêter la reprocréation. De toute façon, plus de doute possible. À la multitude, ils s'assuraient enfin d'une lignée droite.

— Ça suffit!

Ils slaquèrent la progéniture. Voilà. Ce furent les Gélinas. Un portrait de famille comme on en croit plus de nos jours. Lui, bûcheron. Elle, dans la mère jusqu'au cou.

L'inopinée conception

Des gouttes de printemps. Et les glaçons qui se décrochent de la frise des maisons. Comme des rayons de soleil qui s'émiettent. Le père Gélinas revenait de la bûche. Comme à l'annuel. Il fut accueilli par des centaines de petits bras tendus. Il prit soin de les prendre deux par deux. Dans les siens. De paterner chacun. Chatouiller. Border. Puis il les endormit à la lueur d'une berceuse. Celle qu'ils savaient tous. Par chœur.

Dans la nuit de son retour, il coupa de moitié la couchette de sa femme et rêva rare. Par accotement. À cause des longs mois à ne côtoyer que des arbres. Lui qui n'était pas fait en bois. Ils firent flancs collés. De ces frôlages et caresses et tous ces fruits d'ennuyance à faire tomber du lit. Trop mûrs pour être bardassés. Ils s'emparèrent sur la pointe. En catimini. En plaisirs retenus. Pour ne pas déborder sur les chambres d'à côté. Ce fut du grand bonheur contenu. Tout en silence. De celui-là qu'une seule pincée suffit à germer du ventre au gros. D'ailleurs. Et madame renceinta de plus belle. Spontanément et à qui mieux mieux. Puis on s'encouragea par-delà l'imprévu. Un petit dernier pour la chance. Ça fera un nombre pair. Un chiffre plus rond.

Il repartit pour la Haute-Mauricie au début de l'automne. Après deux mois trop courts d'été. Le ventre bombait déjà d'hérédité. Le chemin sous ses pieds, il gagna vers les chantiers. En chantant. Les poumons remplis de cet air que les échos enfantins garderaient au foyer tout l'hiver. Une berceuse pour seul outil contre l'oubli. À mastiquer assidûment pour maintenir les muscles du cœur actifs.

Il travailla dur comme neige. À s'acharner de scie, de mois en mois et la lame à l'œil, sur la solitude de ces moins en moins grandes forêts du petit Nord. Loin de ses proches. Il portait toujours au coin de la bouche cette ritournelle. Celle qui calmait la fourmilière, aux soirs venus. La même que les lèvres de sa femme. Qui se caressait le ventre, à la nuit tombée. À la chandelle. Les yeux perdus dans la fenêtre à carreaux noirs. Celle qui lui retournait son image.

Aux nouveaux dégels, les neiges filtrèrent suivant la déclinaison du monde. Des suintements de terre qui se réveillent. Et toutes ces fondures s'écoulèrent par la veine immense de la rivière Saint-Maurice. Crue. La rivière fit gros d'eau. Jusqu'à se transvider vers l'artère du fleuve.

Ses gages dans le fond de ses poches, le père maintes fois ne pensait qu'à rentrer. Soif, il s'arrêterait à l'auberge. Pour la forme. Boire quelques semaines de salaire. En guise de décompression. Sous prétexte de redescendre. Ensuite, l'ennui digéré, il regagnerait la maison. Le plan rodé. Le même qu'à tous ces printemps connus. Par le même chemin de terre. Mais le foreman le prit à part. Il lui proposa mieux. À l'impératif. Parce qu'il fallait conduire la pitoune jusqu'aux moulins. Draver jusqu'aux Trois-Rivières. Par le chemin d'eau. Ça rallongerait l'ennui, oui. Ça n'étancherait pas la soif, non. Mais le salaire compenserait. Et puis de toute façon.

Le bonhomme adhéra par obligeance. À conduire les billots sous des pas de danse. À giguer sur plancher flottant. Et de perches et de dynamite pour les engorgements. Draveur jusqu'à la dernière poutre. Jusqu'à la destination. Là où le foreman l'attendait. Sans chèque. Mais avec un grand sourire et un sac chargé de cannes de bines.

— Remonte au camp avec ça. C'est le lunch pour l'hiver prochain.

Il dut reprendre la route à rebrousse. Retourner vers la bûcheronie. Le dos chargé et le ventre à terre. Tout l'été à marcher sous le poids des repas pour que les provisions arrivent à temps aux scieurs de l'automne. Dont il fut. Tant qu'à y être. Et il rebûcha. De force. Automne, hiver. Ensuite rechute et redrave. Le parcours du bois. La route de l'eau, et la marchandise chaque été pour remonter aux Hauts. Et ainsi. Et de suite. Jusqu'à ce qu'il ne chante plus. Une quinzaine d'années qu'il était parti sans donner de nouvelles.

— Et ma femme qui va accoucher.

La délivrance

[...] (on donne toujours un nom à ce qui fait peur,
raison pour laquelle d'ailleurs,
par prudence,
les hommes en ont deux).
Alessandro Baricco

On la connaissait comme une femme forte. Une femme de caractère. Confiante et endurcie. Enceinte depuis quinze ans. Elle patientait. D'une capacité de rétention à toute épreuve. D'ailleurs, après tant d'années de grossesse, elle fendait de se retenir. La finition fœtale achevée depuis longtemps. L'enfant naîtrait pubère. Au minimum. Rendue fendue à tel point qu'elle devait même se tirer des joints d'étanchéité pour ne pas crever. Des eaux. Et les cancans allaient bon train. Les échos graphiaient des pronostics élastiques. On lui prévoyait une portée. On verrait bien. Et si alors ça ne tenait pas de plusieurs ovules, ça promettait d'une énorme. D'une toute une. Abondante. Tellement de plénitude accumulée qu'on la perdait de vue derrière son ventre. Mais elle s'acharnait. Elle attendait son homme. Avant de mettre bas.

Et il revint comme promis. Le père. Le soulagement quand elle se laissa en proie au déboulage. L'enfant naquit par végétarienne. Parce que trop en viande. Il jaillit comme une surprise que l'on ne supporte plus d'espérer. Un cadeau dont l'emballage ne suffit plus à enrober. Trop longue gestation. Et la propulsion. Le bruit de ses entrailles. L'accouchement projeta le nouveau-né directement chez le docteur. Le docteur qui taillait sa haie. À qui il suffit d'un coup de cisailles en biseau de travers pour ombriliquer la chose. Clic.

C'était un beau gros garçon. On voulut l'appeler Zim, parce qu'on avait épuisé jusqu'au Y pour la multitude des aînés. Puis on extensionna pour se donner une forme prénoménale. Il fallut consonner avec modération. Le baptême fut consommé, de gouttes d'eau bénite et de simagrées d'amen. Le quatre cent soixante-quatorzième, le véritable dernier mais non moindre poupon de cette famille s'inscrivait dans l'histoire : Ésimésac.

Les premiers maux

Et il est tellement puissant,
tellement fort, [...]
qu'il fait comme un mur là où il passe.
Yves Thériault

S'il y eut un jour des bébés Louis Cyr et embryons de Montferrand, si l'histoire du Québec est remplie de ces capables Canadiens français et autres hypertrophiés de la musculature, aucun n'eut pu tenir tête à ce Gélinas nouveau. Un bétail inné. Un défi de livraison à n'importe quelle histoire de cigogne encore lucide. Une question de transport. Petit, et déjà grand. Encore en couche et tellement fort qu'il pétait et que ça ne sentait pas. Ça goûtait.

Frais né, et de puissance surprenante. Les hormones d'homme hors normes. Il mangeait tout ce qui lui passait sous la bouche. Croûte que croûte. Nourrisson de poignées de clous et péteur craint. Un rien de temps qu'il se traça la pièce d'homme dont les mesures dragoniennes dépassèrent celles des plus colossaux. Les proportions étirées au maximum. Et qui herculait devant rien. Qui fit un désastre quand il perdit ses dents de lait. À la dent qui branle, pour faire comme avec les autres, on attachait un fil à la poignée. La porte fermée sec arrachait la gencive sans douleur. Normalement. Parce qu'une fois arrivé son tour, on ne comptait plus le nombre de portes démanchées.

Il vous levait un cheval d'une seule main. Vous tordait le trente sous jusqu'à ce que la face de la reine saigne du nez. Un extrémiste. Mossellement.

Venu au monde si tard, Ésimésac eut seize ans dès son premier anniversaire. À son deuxième, comme cadeau, on l'inscrivit dans la fanfare. Pour remplacer un trompettiste manquant. Il pompa de son mieux mais ne put que pouet. Et fit rire de lui.

— Il faut souffler fort...

Comme un supersonique d'expiration. La démesure poumonique d'un ut de luxe. Il parvint à défriser l'instrument. Et le tuyau de cuivre fendit la colonne musicale. C'est la majorette en jupe qui reçut le cornet derrière la tête. Elle brisa de cris stridents la carrière orchestrale du jeune homme.

À son troisième anniversaire, il atteignit la majorité. Parce qu'on prenait en compte les années d'incubation. Un total de dix-huit ans. Et comme la tradition le veut au passage de cet âge mûr, père et fils se donnèrent la main. En voulant dire. En voulant dire quoi ? Aucune idée. Mais on savait que ça voulait dire beaucoup. C'est une coutume. Par la pince, donc. Comme deux hommes. À se serrer et ne rien dire. Les yeux dans les autres. Jusqu'à ce qu'il force véritablement, le fils. Qu'il montre de quels doigts il se chauffe. Qu'il pressure et qu'à bout de bras, il réussisse à soulever son bonhomme de père de terre. Et que le père, par orgueil minimum, s'adonne à haut-hisser aussi. Et qu'il soulève son cadet. Et qu'ainsi de suite, chacun plus forçant, ils se retrouvent tous les deux en l'air par la poigne de l'autre. Suspendus. Pendant qu'au sol, le niveau de la mère n'en revenait pas. Parce qu'il y a bien des limites à l'attraction de la plus pleine des lunes. Ce furent les pompiers et l'échelle qu'on appela pour que tout ce qui monte doive redescendre. La relation père-fils replancha des vaches à l'heure du souper.

Ça le montre. Ça donne un début d'idée de l'outrance. Ésimésac tenait de l'incroyable. Fort. Et le mot est faible. On peut même se permettre de le dire. D'aller se rhabiller ces boulés de Shwarzenegger et autres guenilles de Stallonerie. Ces modernités qui se construisent des gloires en pellicules cinématographiques. Dans des films de poques et d'épais. Et qui n'arrivent même pas à forcer quand ils rient. Ésimésac ne logeait pas sur du trente-cinq millimètres. Le calibre dépassait le support. On parle ici de nerfs de bittes. Du géantisme. Et si l'autopsie de Victor Delamarre, du lac Bouchette, a confirmé qu'il était fort parce qu'il avait deux colonnes vertébrales, Ésimésac habitait peut-être l'exploit du fait qu'il avait deux cœurs. Une ombre au tableau ? Non. Justement.

L'OMBRE

La première chose qu'on remarque chez quelqu'un. Au-delà des clichés. Des yeux, des fesses et des poumons. On n'y pense pas, mais il y a l'ombre. Inconsciemment. Surtout qu'à Saint-Élie-de-Caxton, tout le monde en porte une. Et qu'au naguère dont on se confie, par-dessus le marché, c'est à peu près tout ce que les gens avaient à se mettre sur le dos. Une ombre par personne. Et chacun faisait devoir de se l'entretenir. Comme une parure. La nettoyer, la raccommoder, la polir et la coiffer. L'éclat de l'ombre étant une manière d'en apprendre beaucoup sur sa personne respective.

Une silhouette propre et soignée, on pouvait être fier et se fier. Et l'ombre vous rendait la monnaie de sa pièce. Reconnaissante. Parfois jusqu'à la fidélité limite. On a vu des décédés se faire enterrer avec leur ombre. Des archéologies précises, creusées aux pinceaux et datées au calcium de l'ère pré-grippespagnole, révèlent la présence de vieilles ombres séchées ensevelies dans la plupart de nos cimetières québécois. On s'affiche l'obscurité depuis belle Lurette. C'est un mœurs.

Aujourd'hui, avec l'électrification sauvage de nos civilisations et les lampadaires effrénés, la mode ombragée dégénère. À s'inventer du jour à cœur de nuit. Et à braver les principes loyaux jusqu'à porter deux ou trois ombres pour soi seul. Sans compter tous ces gazés du néon qui se font du métier à cultiver la peur des ombres. Ça change partout. Mais rien n'y fait. Chez nous, les ombres sont là pour rester. Suffit d'une nuit blanche à espionner pour capter l'évidence. Suffit d'une pisse nocturne pour se sentir suivi. Une ombre ne déambule jamais seule. Toujours quelqu'un lié pas loin. Ça fait partie des mentalités.

Voilà. Et Ésimésac Gélinas dans un jeu de quilles. Tout rempli d'attributs, mais qui n'avait pas d'ombre. Aucune. Et dont il brillait par l'absence. Un handicap dont on ne goûta les véritables désavantages qu'aux inscriptions de la petite école du village. La maîtresse, grise de sœur, n'eut d'autres choix que de lui refuser son admission. Par processus habituel. Rejeté pour la différence. Le tout prononcé comme une sentence, avec la bouche pincée et les commissures scolaires.

— Anormal.

Ça lui prenait une instruction obligatoire dans une institution spécialisée. Une école de réombrilitation. En ville. Pour le remettre dans les rangs. Dans le nombre. Progressivement. Comme on forge tous les enfants à l'uniforme. Mais pas si simple. Surtout parce que lui, il voulait aller à l'école. Comme les autres. Du village.

Son père le prit sous lui. Sa mère, sous ailes. Pour lui trouver un remède ou une prothèse. Ils se lancèrent dans des consultations d'un bord, et des rencontres de l'autre. Dans une suite de rendez-vous chez les docteurs, les ramancheux, les rabouteux. Des réputés et des moins rares. Qui demeurèrent tous unanimes dans la multitude, mais vains dans le guérissage. On diagnostiquait congénital. Ou circoncis conflexe. Coupé à la racine de la naissance. Avec très peu de chances que ça repousse dans la réincarnation en cours.

Une ombriliste

Soir de veille à virailler dans ses draps. À une journée de la rentrée scolaire. Plus qu'un dodo, mais un qui tarde. Ésimésac dans son lit, enfant singulier, à se retourner sur lui-même. Aussi seul qu'on peut l'être, malgré la taille, quand on n'a même pas de contour à coucher près de soi. Même pas d'ombre à craindre sous le lit. Ésimésac étendu sur le ventre. La nuit perçait dans sa fenêtre, jusqu'à l'effleurer de noirceur. Et lui filer l'idée derrière la tête que la seule personne à pouvoir l'aider, elle lui côtoyait l'entourage. Trop proche, pas vue. Sa marraine.

Il avait sauté dans ses kodiaks et couru en pyjama vers le fond du rang. Jusqu'au lac aux Sangsues. Là où elle habitait, la bonne femme. Elle qui entretenait des rumeurs de sciences occultes et de marché noir. C'en était une que les on-dit mettaient d'accointance avec le prince des ombres inc. Une détaillante affiliée. Concessionnaire d'assombrissements. À mi-chemin entre la médecine douce et la lisière sorcière. Et marraine d'Ésimésac. Toute qualifiée. Experte. Une ombriliste dans la famille.

On disait d'elle, la sorcière, qu'elle entreposait son stock sombre dans son hangar. Les plus courageux osaient un œil. Dans les craques, entre les planches, on n'y voyait que de la noirceur. Sous cadenas. Des ombres à paupières, ombres de marmottes et ombres chinoises. Parce que certains avaient eu le bon sens de signer leur carte de don d'organes. Rien de grandiose dans son inventaire ténébreux. Pas de personnage connu, mais des ombres de dépannage. Pour ceux qui ne supportaient plus le poids lumineux des jours.

Ésimésac courait. À l'entrée du domaine, l'affiche invitante. Venez en grande ombre. Et la maison au bout du chemin. La porte s'ouvrit avant même qu'il ne frappe. Comme quelqu'un qui répond au téléphone avant que ça sonne. Par prémonition. Ésimésac avait arrêté l'élan de cogner juste à temps. Passé bien proche de lui adresser le toc toc dans le front.

— Entre, filleul. Je t'attendais.

Au beau milieu de la nuit. Accueilli. Déchaussé. Puis elle l'avait installé dans le divan mou. Elle lui avait servi une tasse de thé, pour le faire parler. Comme une thérapeute tripante. Avec des aises de jasette, mais qui calcule sous cape. Cet enfant colosse devant elle, qui se confiait le malheur. Et elle qui évaluait, dans des allures de rien, l'ampleur du manque. À mesure. Pour connaître la taille exacte du besoin. Lui buvait son infusion, hochant de tête, intermittent, et hésitant aux questions nébuleuses. Elle écoutait. Et il n'eut pas aussitôt ressipé sa dernière gorgée qu'elle lui arracha l'anse des doigts et porta ses yeux usés vers le fond de la tasse. Comme à ses habitudes. Parce qu'elle versait dans les prédictions originales. Elle sentait la bonne aventure et lisait l'avenir dans le thé. Dans les lignes des sachets. La théiste. Tous ceux qui l'avaient côtoyée le confirmaient. Rares furent les poches à lui glisser entre les mains et dont les reliefs ne furent pas décryptés. C'était l'œil de la tempête. Dans un verre d'eau chaude.

Elle décortiqua l'allure du sac trempé d'Ésimésac qui s'inquiétait. Qu'elle rassurait.

— Ça voit très bien.

Elle déduisit ce que ça lui prenait. Elle le fit s'étendre sur sa table de cuisine. Civière d'urgence. Pendant qu'il détachait sa chemise de pyjama, elle sortait ses instruments de couturière et de cuisinage. Puis vint la piqûre plantée dans le bras. Elle aiguilla Ésimésac à la hauteur de la tache de naissance, cette étendue brune qu'il cachait au pli de son coude. Quelques gouttes d'une solution d'eau d'endormitoire. Le venin des paupières lourdes tapa directement dans le dodo du jeune homme. Les muscles ramollis. Et la marraine se pencha sur son patient pour lui parler en termes graves : « Je vais t'installer l'ombre que tu mérites, mon filleul. Un modèle comme on en voit peu. Une ombre magique. En seulement, tu devras me promettre de suivre les trois conseils que je vais te donner. »

Trois conseils. Par pur principe d'éthique. Elle devait donner trois conseils à tous ceux qu'elle greffait. Comme un pacte. Une manière de se dégager des poursuites en responsabilités au civil. Trois conseils. Municipaux. Peu importe lesquels. En autant que ça demeure assez flou pour décourager les actions de déchiffrages judicieux. Des conseils qu'elle inventait au fur et à la mesure. Avec, surtout, une manière de les formuler et un ton dans la voix qui coloraient l'impression de grande sériosité. Comme un italique sonore. Avec une réception amplifiée d'étrange sous les effets de l'endormitoire : *... tu devras me promettre de suivre les trois conseils que je vais te donner.*

Ésimésac acquiesça.

— *Premier conseil… Ne fais pas de mal à une mouche.*

En tant qu'invention, elle demeurait en terrain vague.

— **Promis.**

Le filleul d'accord. De voix. Grave.

— *Deuxième conseil… Changez de côté, vous vous êtes trompés.*

— **Promis.**

De toute façon, il ne savait même pas danser.

— *Troisième conseil… Fais confiance au chauffeur.*

— **Promis.**

Pour sa part de récepteur, il essayait de garder tout ça en mémoire. Et juste à temps. Il se noyait déjà dans un coma de surface. Semi-sommeil. Anasthézzzzzzzzzie… Et ses cils se fermèrent dans un fracas terrible.

La rentrée scolaire

Petit matin, grand jour d'école. La nuit avait porté conseils. En triple. La marraine avait profité de la léthargie pour la chirurgie. Une bouture sombre se cramponnait aux bouts des pieds du jeune homme. De ses énormes pieds. Comme une rallonge à ses orteils. Sur la même longueur d'ongle. C'était l'ombre qu'il allait porter pour le restant de ses jours. Peut-être encore au-delà.

Il se réveilla de loin. Se frotta les yeux pour ajuster l'image. La déception quand il constata la chose. C'était une ombre minuscule. Un diamètre noir d'environ un pouce de cercle. Un pouce. Sans conversion pour éviter les questions, les grammes et onces. Mais en sachant bien que le pouce est un calibre rare dans l'étendue des ombres chez l'être humain normalement constitué. Beaucoup plus petit que la moyenne observable.

— C'est l'ombre d'un gland, qu'elle lança pour lui achever le moral.

— Un gland ?

— Un gland de chêne, mon filleul.

Puis, voyant que le désespoir perdurait, la marraine ajouta les encouragements.

— Comme je te connais, tu devrais germer facilement.

L'air fou. Des allures d'éclipse de chandelle. Ésimésac coincé dans un habit beaucoup trop étroit pour lui. Il traversait le village face au soleil avec la honte sur sa droite derrière lui. Dans l'angle mort. Comme un coque-l'ombre.

Raté à l'avance pour l'intégration scolaire. Son minuscule gland sombre accroché à ses pas. Il clopinait sur la rue Principale. Il marchait et convergeait comme tous les enfants. Pas comme, mais parmi. Vers la rentrée scolaire. Il passa devant la maison du forgeron où tout le monde avait envie de se retourner parce qu'on y entendait pleurer plein le cœur. Ça provenait de la maison du bonhomme Riopel. Chacun prenait soin de faire semblant de ne pas écouter. De ne pas trop ralentir le pas. Comme si la tristesse ne regardait personne. Sauf Ésimésac. Autant de plaintes, et si sincères, ça le tituba. Comme un état d'ébriété par surplus de larmes. En plus que pas habitué à cette nouvelle partie de lui. Pas même intégré à son inventaire kinesthésique. Les émotions et le membre fantôme. Étendu dans la poussière de la garnotte. Ésimésac s'était enfargé dans son gland.

Le bouquet de pleurs

Des larmes de la belle Lurette. La fille du forgeron. Une fille belle. Pas loin du pas disable. Belle à l'OGM. Généreusement modifiée. À faire rêver d'un de ses cheveux dans la plus succulente des marmites de soupes. Et puis voilà. Belle, mais braillarde.

On l'entendait pleurer à des yeux à la ronde. Parce qu'elle avait une tristesse dans l'œil. Un amour inconsolable pour Dièse, le beau parleur. Ce chiqueur de tabac qui prétendait ne pas fumer pour s'éviter les métaphores aux poumons. Un badineur artistique.

Elle et lui. Des mois et plus encore qu'ils perpétraient des soirées à se caresser les mains, tous les deux. Se flatter jusqu'à s'en boursoufler des ampoules jusqu'aux coudes. Les avant-bras au vif. Et l'odeur du poil brûlé. L'amour. Avant de se demander les mains et de se promettre. Se promettre tout. De ces choses qu'ils ne soupçonnaient même pas. Ils s'aimaient. D'autant plus qu'ils n'étaient pas mariés encore. Et que ça leur entretenait les rêvasseries. Et que c'est doux de s'aimer quand tout est à découvrir.

Et l'amant était parti. Conscrit. Enjôlé, puis enrôlé, puis envolé.

— Je ne peux pas que tu t'en ailles, qu'elle avait murmuré.

Pour consolation, il avait pris soin de son au revoir.

— Attends-moi, ma belle Lurette. Quand je vas reviendre, ça sera temps qu'on se marisse. Surtout, doute jamais de mon amour… Je vas reviendre pour sûr. Par monts et par vaux.

Une manière de dire à sa belle toute la patience nécessaire à leur espoir. Et il avait voué sa dernière nuit à la certitude. Pour dissiper toutes les incertitudes éventuelles de l'attente. Pour diminuer le loin des yeux. Et du cœur. Pour rallonger la confiance lors des temps nuageux. Parce qu'il lui connaissait la manie d'effeuiller les marguerites. Des heures entières qu'elle dépensait assise près de la rivière à libérer des nuées de pétales. À balancer de il l'aime à il l'aime pas, de il l'aime à il l'aime pas. Il avait donc procédé à l'inventaire de toutes les marguerites du village. Prenant soin de calculer la quantité de pétales sur chacune. Il s'était assuré d'un nombre impair sur chaque tige. Pour permettre à Lurette de toujours conclure à l'amour. Voilà. Il était épris. Un type à pousser loin. Un format de prix Nobel de l'amour. Puis il était parti. Laissant derrière lui des couronnes blanches et des je t'aime habillés en boutons jaunes.

Ce jour-là qui coïncidait avec la rentrée scolaire, pour revenir à nos moutons, la belle Lurette était en train de s'effeuiller une marguerite adaptée. Dans la cuisine, près de l'évier. Il m'aime, pas, il m'aime, pas… Jusqu'à la dernière pétale*. L'amour tendre se tint pincé entre ses doigts doux. Arraché avec bonheur. Comme un confetti unique à faire espérer le plus grand mariage. Comme une caresse miniature. Un peu d'extase. Et le velours de la feuille mince avait dérapé et glissé. Oups. Hors

* L'emploi du féminin a pour seul but de coller à la réalité langagière de l'horticulture locale. À Saint-Élie-de-Caxton, « la » pétale est d'une féminité qui résiste à toute tentative d'intervention grammairienne.

les doigts. Échappé. En chute libre dans l'évier. Un geste rapide de Lurette avait tenté de sauver l'amour mais rien rattrapé. Et le drame de l'évier se draina vers le trou profond. Le renvoi d'eau, par définition, mais tout à fait à l'aise dans l'avalage hors format. L'abîme qui aspira la pétale. Qui la mena loin d'atteinte du cœur aimant. Emportant avec elle tous les mirages romantiques. Et qui se bloqua dans un pli de la plomberie.

Un avenir pour deux se trouvait coincé dans le coude du tuyau de cuivre sous l'évier de la cuisine des Riopel. La belle Lurette pleurait. Ses larmes couraient vers l'égout. Dans la nature.

La récompense promise

Le forgeron n'en pouvait plus d'entendre sa fille s'étirer le chagrin en sanglots lyrants. Aussi, ce matin-là où Ésimésac s'effondrait devant la maison en se marchant sur le gland, la rumeur venait d'être lancée.

— Ça me prend quelqu'un qui va être capable d'extraire la pétale d'évier du tuyau de ma fille. Celui qui réussira à me la ramener intacte sera récompensé. Une récompense à sa taille.

L'appel résonna fort. Ça se propagea par les chemins, routes et rangs, par tous ces échos des villages que les candides dira-t-on connaissent sur le bout de la langue. Ça atteignit, dans le temps de le dire, les oreilles de tous ces jeunes mâles assoiffés d'accomplissement. Déjà, les premiers fantasques débarquaient sur le trottoir d'en face. Et des premiers loin d'être les derniers. Ils vinrent innombrables. Des jeunes fendants aux ombres immenses et lustrées. Avec un air d'au-dessus sous le prétexte noble de porter secours à la fille en détresse. La princesse qui ne riait plus.

Le plombier y alla du va-et-vient de son siphon avec agrément, puis repartit sans succion. Le notaire planta du crayon dans l'orifice, puis quitta la mine basse. Le serrurier y perdit son trousseau, et le charmeur de serpents pompa un air de flûte qui ne réussit qu'à faire danser les clés du précédent hors les tuyaux. Les ingénieurs les plus réputés manquèrent leur coup, et rien n'y fit. Au soir, Lurette continuait de se déverser le chagrin dans la fosse aux loins.

Il fallut attendre jusque vers les minuits pour que la planche de salut redonne à pétiller. On le vit venir dans la cour arrière. Encore que ce qu'on vit, on ne le vit même pas. C'était trop petit. Une ombre microscopique qui se profilait le long du hangar. Des pas lents sur les marches de la galerie. Ésimésac frappait à la porte de la maison avec ses sympathies. Il essuya une larme sur la joue érodée de la belle.

— La belle Lurette, arrête de pleuvoir. Je vas te la sortir, ta pétale, du tuyau.

Un peu de lumière pour y voir clair.

— Prête-moi une chandelle pour que je m'enligne comme il faut.

Ésimésac déposa la bougie sur la table de la cuisine. Puis, se plaçant dans l'angle de l'évier et de la flamme, il s'enligna sur la distance parfaite. La flamme vacillait sur son poteau de cire. Il faudrait retenir les respirs. Il bougea par petits mouvements. Il y alla de précision. Il épuisa jusqu'aux fractions du huitième de pouce. Il s'installa pile. De manière à ce que la lumière projette son ombre directement sur le videur de l'évier. Une fois confondus, trou et ombre, il se pinça le nez. Il plia les genoux lentement. Il se pencha pour que son point noir descende dans l'orifice humide. Il s'abaissa jusqu'à se sentir accoté, bien rendu dans l'équerre du cuivre. Avec minutie, il étira les secondes. Il fit délicatement le geste de prendre une pétale avec ses doigts. L'ombre infiltrée fit de même, il en va de soi, dans les abysses du drain sombre. Ensuite, il haussa le tronc. Il remonta progressivement son ombre jusqu'à l'extra-pulser du gouffre.

Ils respiraient de nouveau. La flamme dansa sur la mèche courte, et la belle Lurette se darda dare-dare sur son profit. Elle retrouva sa pétale d'amour emprisonnée dans une goutte d'eau qui goûtait le sel. Intacte. Cela dit, Lurette et Dièse s'aimèrent comme on l'imagine mal. Elle l'attendit sans fléchir. Et si ça n'avait été d'une malchance de dernier instant, ils se seraient mariés de bord en bord. Ils s'aimèrent à la folie. Mais ce qu'on retint de l'histoire, ce ne fut pas tant l'amour comme la force manifeste du jeune homme. Ésimésac Gélinas, celui que l'on savait habile en muscles, se révélait d'autant capable des idées. Un homme de taille, et de détails.

Comme promis dans l'annonce du père forgeron, le candidat fut décoré. Une récompense à sa taille. Il se vit offrir une large ceinture de cuir. De quoi rassurer les plus amples pantalons. Sur la boucle dorée aux reliefs western, il était gravé mention : « L'homme le plus fort du monde de Saint-Élie-de-Caxton. »

Ma grand-mère disait que de ce tour, on a transformé la manière de voir les ombres du monde. S'il fut un temps où la tendance visait l'exubérance, on a maintenant le regard plus juste sur les symboles.

— L'important, c'est pas d'en avoir une grosse, c'est de bien s'en servir !

La sagesse continue de se transmettre. À Saint-Élie-de-Caxton, on ne calcule plus la force des hommes à la grandeur de leur ombre. On préfère accorder de la mesure à la clarté qui émane de chacun.

CHAPITRE 1
LES SPORTS D'ÉPIQUE

Nous ne nous découvrons qu'en nous tournant
vers ce que nous ne sommes pas.
Paul Auster

Le taux mobile

Par un développement poussé de son analphabétisme de conviction, ma grand-mère contracta une forme de diabétisme. En profondeur. Dans la soixantaine. Le docteur avait fini par lui avouer ce qu'il insinuait. L'insuline. Ma grand-mère faisait du sucre. Elle n'aurait plus jamais besoin de desserts, mais les avancées médicales ne lui permettaient pas de mourir pour le moment. « Pas grave », qu'il lui avait dit.

— Suffit de vous surveiller. Le soir, vous vous tirez une goutte de sang et vous notez votre taux. Glycémiquement parlant. Toujours en prenant soin de vous maintenir à six points.

Et puis elle y arrivait bien. Toute en maîtrise d'elle-même. Elle se conservait le chiffre entier. Six. Sauf aux printemps. À ces fontes heureuses des longs mois rudes qui se présentent avec du spring, des beurrées de beurre d'érable, des grappes de papermannes fraîches et autres bonbonneries. J'ai vu ma grand-mère s'exploser la limite permise. Par pure volonté de tire sur la neige. En plein cœur d'après-midi, elle se pétait des records de vingt-deux points. Et la pauvre chaise berçante qui ne trouvait rien d'autre pour se plaindre que de craquer plus fort. Réciproquement. Même que ma grand-mère perdait le tac. Survoltée. Se balançant sur un rythme de quartz chimérique. Son bateau dansant sur une mer folle. À valser d'une rapidité rebondissante. On s'amusait à essayer de rester en place sur ses genoux. Dans un rodéo d'ancêtre. On rigolait à cœur joie. Et les oncles ont fini par nous dire d'arrêter de rire parce que ce n'était pas drôle. Et qu'un accident, ça ne s'exclut pas. Dorénavant, quand elle battrait son propre record, il faudrait aller faire une randonnée pédestre pour rétablir le niveau du sucre à la normalité des choses. Quelques rues seulement. Un petit tour du village pour se refaire le six chanceux.

— Venez, mémère, on va aller se promener…

Elle ne se défendait pas. De gré. Elle savait que ce n'est pas le pied qui compte, mais la trace qu'il laisse. Et que ça impose de marcher. Elle sortait sa sacoche, en guise de consentement. Avant de déserter le navire, elle prenait soin de n'y laisser aucun instrument de cabotage. Tout le nécessaire avec elle. Elle remplissait son sac avec les éléments du tableau de bord. Pepsi diet, pétales de kleenex et dentier d'urgence. Son livre aussi prenait le large avec nous. Fermées les pages, glissé dans le sac, et zippé le sac.

Les grand-mères et les enfants d'abord. Et on se lançait à la mer. On tournait à gauche au bout de la galerie, puis on clopinait sur la rue Principale. On tournait à gauche par simple principe utilitaire. Parce qu'on préférait se promener sur le trottoir de gauche. Parce que les droitiers sont plus à l'aise de ce côté-là pour envoyer la main salutaire à ceux qu'ils rencontrent. Pour se voir venir de face. Et parce que ça nous évitait de traverser la rue sans regarder. Toutes les chances de notre côté pour que l'accident s'exclut. Pour garder intacte la marche de santé.

On déambulait. Mais pas que ça. Ma grand-mère avait la faculté de parler en marchant. Et non seulement. Ce qui m'épatait au maximum de ma disponibilité personnelle, c'était cette aptitude d'illettrisme si développée chez elle. Si douée qu'elle arrivait à lire le livre qui se trouvait fermé dans la sacoche zippée. Au grand bonheur des souvenirs passés. Et futurs. Parce qu'elle dénichait des paragraphes d'histoires qui se rapportaient à toutes ces maisons qui nous regardaient flâner devant leurs fenêtres. Un livre sur mesure. Ajusté au village. Et dont les secousses de nos pas mélangeaient les mots assez pour se renouveler sur chaque devanture.

On passait d'abord devant le bureau de Me Louise-Andrée Garant, la notaire du village. On voyait de l'autre côté de la rue la maison blanche ayant appartenu à Oscar Samson, qui fut banquier et secrétaire municipal. On défilait ensuite devant chez Ti-Zoune Grenier, cette résidence en clabord jaune qui fut le bureau de poste épisodique, suivant la couleur des partis politiques au pouvoir. Puis devant chez Méo...

Le décoiffeur

Les coiffures de Méo Bellemare. C'est un bon exemple de ces choses lues dans la fantaisie piétonnière. Méo, le barbier de Saint-Élie-de-Caxton. Comme on en trouvait partout en ce temps où chaque village frôlait l'autosuffisance et offrait mille métiers aux mille misères de ses habitants. Méo s'inscrivait parmi ceux-là dont le talent nourrissait l'échange vital. On le demandait pour un tour d'oreilles, et il vous coupait le cheveu en quatre sur le sens de la longueur. Il barbait, chevelait et poilait au gré des pousses. Il s'attaquait aux frisures et rosettes de tout acabit. Les toisons d'acabit elles-mêmes pliaient sous le peigne. Sous peine de lame. La dextérité des ciseaux à Méo était menaçante à tout poil. Et on le payait. Bien. En plus que la coupe propre demeure une valeur sûre dans le renouvellement de la demande. Une assurance du retour de la clientèle à la moindre couette. Méo n'avait rien à se plaindre. Sauf durant les premiers temps de la grande crise. L'économique. Pendant ces longs mois où la coiffure perdit sa priorité sur la liste des nécessités quotidiennes. Plus d'argent pour s'offrir les couteaux de Méo. Et les cheveux qui poussaient sans fléchir. Des chignons paroissiaux complètement déconnectés. Une ignorance capillaire détachée de tous ces cours et ces longs de la bourse planétaire. Les cuirs chevelus débordaient sur tous les fronts. De façon dramatique. À ne plus reconnaître personne sous le foisonnement velu. Et ça durait. Ça poussait. Jusqu'à ce qu'on n'ait d'autre choix que de trouver une solution miracle. À tout le moins une piste. À savoir que comme Méo ne refusait jamais une petite ponce de gin, on le paierait dorénavant en liquide. Une once d'alcool par pouce taillé. Simple. Et c'est tout ce que ça prit pour que la coiffe reprenne son poil de la tête. Méo, pour sa part, se mit à boire à chaque crâne. De la coupe aux lèvres. Le seul imprévu étant qu'au fil des culs-secs, plus la journée avançait, plus les ciseaux louchaient. À la messe, le dimanche, tout le monde prenait place dans son banc. De dos, on pouvait facilement déduire le moment de la journée pour chacun des rendez-vous. Selon le degré du dégradé. Matin, après-midi ou soir.

Avec le recul des années et les bilans provisoires, le compte est clair. En pourcentage. Méo aura décoiffé beaucoup plus qu'il n'aura coiffé. On en croise parfois, encore, nostalgiques de l'époque. À se demander si la mode des coiffeurs souls ne continue pas de faire ses ravages ébouriffés.

Souris Garand

Pas à pas. Au coin de la rue Principale et du chemin des Loisirs, la maison qui appartenait au père de l'actuel Eugène. Connu sous le sobriquet Souris Garand. Réputé, mais de surnom. Parce qu'il existe quand même une justice minimale pour refuser certaines terminologies sur les baptistères. N'en demeure pas moins que la vie a toujours su deviner le pseudonyme sur mesure pour chacun des habitants du village. Et ce, bien malgré les incongruités prénomitoires officielles. Des dénominatifs colorés, des listes entières. Tous inventés pour mieux se connaître. Pour se reconnaître. Des La-Poche, Trou-d'cul, Frileux, Rockeur, Ti-Zoune, Le-Kif, Le-Pit-à-Jobine, Babine, et celui-ci. Souris. Qui lui avait été attribué par l'usage un peu, mais surtout à cause d'une forme de distorsion dans sa perception qui lui faisait croire qu'il en était une. Enfant, il jouait souvent dans la cave de la vieille maison. Là où, comme ailleurs, on soupçonnait l'existence d'une communauté importante de petites bêtes. À la longue, et par instinct grégaire, on remarqua que le jeune homme développait des manies de mulot. On lui apposa le nom, pour continuer de le convaincre. Puis on dissimula des trappes à ressort autour des bâtiments. À pincer. Puis on l'appâta avec du fromage, et ainsi de suite. Pour sa part, plutôt que de tenter de régler ce problème de personnalité qui le rongeait, il s'enfonça dans la métamorphose. Ça empira jusqu'à ce qu'il développe une peur profonde des chats et n'ose plus sortir de chez lui. Triste.

La femme à consulter, en derniers secours, ce fut la sorcière. Cette marraine soignante du lac aux Sangsues.

— Entre, Souris. Je t'attendais.

Au beau milieu de la nuit. Accueilli. Déchaussé. Puis elle l'avait installé dans le divan mou. Elle lui avait servi une tasse. Vide. Pour qu'il pleure dedans. Comme une thérapeute tripante. Pour entreprendre la remise à neuf de M. Garand. Et ça résuma la première rencontre. Le temps de remplir le gobelet de gouttes de peine.

Le deuxième rendez-vous fut similaire. À la différence qu'il but la tasse. Et la troisième, et la quatrième. La consultante tenta bien de le faire parler, elle n'arrivait à rien lui tirer d'autre que des larmes amères. À boire lors des visites suivantes.

Après de nombreuses séances tenantes, rien ne s'améliorait. Pour éviter à Souris les pertes de temps, elle lui fit croire qu'il était soigné.

— Je suis guéri ?

— Complètement.

— Je suis plus une souris ?

— Vous n'êtes plus une souris, mais il ne faut pas oublier que les chats ne sont pas au courant !

La tasse demeura à moitié. Vide ou pleine. Et Souris continua d'en être une, avec le bonheur de croire qu'il était enfin rétabli.

Le chemin des Loisirs

Pour quelqu'un qui veut tourner à tout prix à la première intersection sur la rue Principale, la seule option raisonnable est à main droite. De l'autre côté, ça fonce directement dans la vitrine de la Caisse populaire. En adeptes des tournants, moi et ma grand-mère, on s'engageait sur le chemin des Loisirs. Le premier bâtiment qu'on ne pouvait pas manquer, c'était celui du Garage Léo Déziel. Une mécanique générale et automobile. De troisième génération. Par transmission. Parce qu'il y eut Lorenzo, inventeur simultané d'une version du snowmobile de Bombardier. Ensuite son fils Léo, violoneux. Puis ses fils André et Louis, ratoureux.

Ma grand-mère disait que le garage avait ouvert ses portes au bon moment. La famille Déziel flairait l'affaire et répondait à une demande. Outre les propriétaires des quatre automobiles à réparer, la grande majorité des gars du village, même les plus dépouillés de l'engin, fréquentaient les lieux pour placoter. Un repaire. En dehors des heures. Comme une cache de couche-tard. Achalandée avec plaisir. Jusqu'à prétexter des alibis de changements d'huile pour se permettre de s'amuser plus longtemps. Des nuitées en longueur. Sur des chaises droites. Jusqu'à parler croche. Et s'il fut souventes fois mentionné que les rencontres d'hommes finissent toujours par aboutir à des veillées de dames, les gens de par chez nous ne firent pas honte à la règle. Ça jouait aux dames. Tous les faux problèmes de machinerie, une fois passé la porte, se transposaient en tactiques de mangeage de pitons. Et en tic-tac d'horloge. La seule façon d'égrener les cauchemars de ces noirceurs sans lune.

À mesure que les alentours découvraient l'attrait clandestin du Garage Léo Déziel, on multipliait les damiers. Pour accommoder le nombre. Ça retontissait à la brunante. Une file indienne qui s'allongeait de soir en soir. L'affluence.

Bientôt, pour satisfaire les joueurs et moins jeunes, on mit sur pied un événement d'envergure planétaire. Le tournoi international de dames francophones internationales de dames francophones de Saint-Élie-de-Caxton. Le TIDFIDFSEDC. Un succès annuel. Au programme du dernier samedi de chaque novembre. À attirer des compatriotes de partout au Canada environnant. Des gens dont on ne connaissait ni la parenté ni le voisinage. Les inscriptions déboulaient avec pour seul critère que la bouche sonne française. Retentissant. Rendu qu'on devait condamner la fosse des changements d'huile pour s'augmenter l'espace. Et ça fumait de nervosité dans des joutes hirsutes.

Cette fois-là, on en était à la quatrième édition du tournoi. Quatrième année consécutive. Une édition prometteuse. Un trente et un novembre. Date rare. Parce qu'en cet an de grâce, le trente tombait le vendredi. On n'avait eu d'autre choix que de rajouter un jour au mois de novembre pour s'en organiser le dernier samedi. Du bissextile volontaire pour une grande occasion. Et du monde à perte de vue. De la fumée à rien y voir. En plein cœur de nuit. Les matchs à carreaux envahis de rondelles rouges et noires. À vol d'oiseau, comme des surplus de coccinelles sur des moustiquaires éventrés.

Vers trois heures du matin, on se retrouva au bout de l'entonnoir des éliminations. En finale du A. Deux gars de la place. À qui on avait installé, sur les genoux respectifs, le damier verni-trois-couches lustré. Comme un miroir. Pour le face-à-face. Les finalistes étaient accotés latéralement au mur de blocs de ciment sur lequel, pour le coup d'œil, Léo Déziel avait suspendu une peau d'ours noir. Accrochée par les pattes d'en arrière. La tête en bas. Les yeux exorbitants. Comme une face d'ours surpris. Un regard saisi dans un moment où il avait vu quelque chose. Les allures d'une peau qui avait fait le saut avant de mourir. Écarquillée.

Les participants à cette finale du championnat international francophone furent présentés.

— Dans le coin des pitons noirs, l'homme portant la ceinture large avec boucle western en or. Un joueur de dames comme une tornade. Une poigne de surhomme dont le métier de déplieur de barres de fer le place une coche au-dessus de tous ceux qui se vantent d'en plier. Peu de planification dans le jeu, mais d'une rapidité dans le geste. Il avance en ligne droite et laboure les cases. Un tracteur sur une terre carreautée. Il avale l'adversaire par enjambées rapides. Tellement vite que certains n'ont même pas le temps de placer leurs pions que c'en est déjà fini de se les faire bouffer. Mesdames et messieurs, nul autre que pas moins que lui-même: Ésimésac Gélinas.

On l'applaudissait.

— Dans le coin des pions rouges, un pas moins. Lui-même de la batche des grandes capacités. Disproportionné dans l'ensemble. Un artisan dont le marteau quotidien a eu pour effet de lui étirer les bras tellement longs qu'il est capable de se gratter les genoux sans se plier. Robuste. Mais surtout fin stratège dans les domaines du parchési, des dames et autres jeux de table. On le sait moins agressif que son adversaire, mais plus mijoté. D'une concentration pure. Qui pense ses coups trois ou quatre jours à l'avance. Si vif de sa mentalité qu'il réussit à changer les postes de la t.v. à distance. Assis dans son fauteuil, sans la zappette. Juste comme ça. En fixant le bouton de l'appareil. En canalisant son énergie. Mesdames et messieurs, nul autre que le père de la belle Lurette: le forgeron Riopel.

On l'applaudissait aussi.

Les paris ouverts. Puis refermés. Coup de fusil. Et le combat s'enclenche.

Le poing fulminant

Le forgeron fumait. Comme une cheminée. Comme quelqu'un qui déjeune avec des tranches de poêle à combustion lente en se levant le matin. La boucane dans tous les orifices manifestés de sa personne. La pipe au bec et l'œil pincé dans son nuage. Il s'en mettait plein la vue.

La tension était artérielle. Palpable. La partie allait son rythme. Les oh ! et les ah ! de la foule scandaient les changements de tours. Ésimésac s'avançait sur les cases à la tête d'une armée de dames déchaînées. Comme l'auteur d'une marée noire dont la tache d'huile se superficiait sans fin. Et les pitons rouges disparaissaient dans la vague. Aspirés par le fond. À laisser croire que le forgeron souhaitait la victoire de son adversaire. Comme s'il lui laissait des chances. Ceux qui avaient parié sur l'homme de fer s'en voulaient. Certains dénonçaient la mauvaise foi flagrante. Et le manque d'air. Le jeu penchait clairement du côté d'Ésimésac Gélinas. Ne survivaient maintenant que quelques petits points rouges hésitant au milieu de la flaque sombre. Comme un îlot perdu de tristes naufragés.

On sentait la fin proche. Le forgeron s'était fait dévorer vif. Aussi, avant de rendre les armes, il fut pris d'une montée dramatique d'adrénaline. Une bouffée d'instinct de survie lui monta à la tête. Une pompée d'air qui lui secoua les intérieurs. Il perdit contact avec la réalité. L'espace d'un clin d'œil. Le temps d'un mouvement. D'un geste inconscient, il saisit une de ses munitions et osa l'impensable. L'assistance s'estomaqua. À n'en rien croire. Le forgeron en phase terminale devant l'adversaire. Il se hasardait au-delà des principes. Il mangeait par en arrière.

(Un précédent. À Saint-Élie-de-Caxton, on ne mange pas par en arrière. Du domaine de la tolérance zéro. Et depuis les débuts. Du tabou. Juste d'en parler, ça donne l'impression de mordiller dans une boule de papier d'aluminium. À gorziller de l'échine. La tradition du jeu est une coutume implantée et l'unanimité ne lésine pas autour de ce règlement qui nous interdit de damer à reculons. Hormis dans le cas des cochons, il en va de soi. Ne pas manger à reculons. C'est une convention tacite qui date des premières générations de colons. Entre nous, on se reconnaît. Touristiquement parlant, on en fait mention. Ainsi, tout le monde sait qu'il est possible de venir relaxer son séjour au village et de pratiquer des jeux de société à l'intérieur de nos frontières. Toutefois, les avertis s'abstiennent de manger par en arrière au su des habitants de la place. La chose est claire et très mal vue. Et ça empêche les dérapages compulsifs qui risqueraient de s'ensuivre. Voilà.)

Le forgeron en phase terminale mangeait Ésimésac par en arrière. L'absence de réaction fut immédiate. La foule fut glacée. Comme une plate-bande de légumes gelés. Un jardin de givre. Sauf pour le principal concerné. Chez Ésimésac, ce fut explosif. Par réflexe. Il se leva d'un bond. Le damier se renversa en emportant avec lui toute trace de faits saillants. Les jetons s'étalèrent sur le sol en ciment du garage. Il empoigna le forgeron par le chignon du cou. Fermement. Jusqu'au trognon de la pomme. Il le souleva. Il se le plaça à portée d'atteinte. Puis il s'élança pour lui donner un coup de poing dans les dents. L'assistance ahurissa de plus bel. Pantoise et stupéfaite devant la primeur. Lui qui n'avait jamais frappé. Lui à qui on avait remis une ceinture à boucle western dorée. Lui qu'on s'arborait comme l'homme le plus fort du monde de Saint-Élie-de-Caxton. Et qui n'avait jamais osé. Enfin. Un peu de vargeage.

Il s'élança, donc. De la droite. Toujours tenant dans la gauche son vis-à-vis. Sa cible dans la main. Il recula le poing loin derrière. Loin, loin, comme pour accumuler tout l'élan d'Amérique. Pour engranger l'impact. Il se chargea d'essor. Jusqu'au sommet du ressort. Dans une motion de lanceur. Jusqu'à rejoindre le poing culminant. Au bout de son bras. Et au moment d'attaquer, au moment d'entamer son geste de violence vers le forgeron, au moment de prendre la route vers la margoulette fautive, tout bascula. Une mouche venait de se poser sur sa jointure.

L'articulation de son majeur, tout le monde l'appelait son genou. Par similitude de taille. Pour le doigt gros comme un jarret. Comme un ménisque sur la main. Et la mouche aventureuse qui s'y posait, à ce moment précis de préparation de collision, faisait preuve d'un surplus de témérité. Ou d'un manque de prudence. Parce qu'il était clair, selon les mensurations pondérales, qu'elle avait peu de chances de s'en sortir indemne. Une infraction de seconde et la massue géante allait s'abattre sur la joue de l'adversaire. Ce qui se trouverait entre les deux risquait fort bien d'effoirer. Dont le volatile qui nous concerne.

CH DES LOISIRS
RUE PRINCIPALE

L'ÉLEVAGE DE MOUCHES

Une mouche en irruption. Par un soir peu plausible de la fin de novembre. Étrange, mais tout à fait logique. Localement, du moins. Dans la mesure où on l'explique. Parce qu'il faut savoir, pour se convaincre au préalable, qu'il s'agissait là d'une mouche d'élevage.

Saint-Élie-de-Caxton étant situé dans la Mauricie, aux frontières du territoire forestier des bûcherons, il existe très peu de terres cultivables dans les alentours. Aussi, à l'époque, par échec agricole en terre de roches, plusieurs durent se tourner vers des cultures marginales. Pour se garnir la survivance. L'élevage alternatif qui s'imposa durant ces années, ce fut celui de la mouche. À pulluler. Tellement de bestioles qu'on en essuie encore les succès dans nos juins d'aujourd'hui. En l'an deux mille cinq. Tellement de mouches en début d'été que ça devenait presque dangereux d'ouvrir la bouche pour sacrer. Et de la mouche. Pas que de la petite mouchette. De la mouche à viande. Des bétails ailés de six à sept cents livres. Des bibittes à panaches. Même pas la peine d'installer des moustiquaires dans les fenêtres parce que leur envergure gigantesque les empêchait de passer dans les chambranles de portes conventionnels.

L'un des éleveurs les plus populaires de ces cheptels volants, ce fut Brodain Tousseur. Pour avoir d'abord brassé une recette de bière de bibittes, il choisit un jour de s'étendre les étapes du procédé de fabrication jusqu'à la matière première. Ça avait commencé par des bouteilles vides et sales laissées à la traîne dans son hangar. Consignées avant le temps. Quelques semaines d'oubli et ça se remplissait de mouches tout seul. Comme des retombées du ciel. Sentant le profit, le remplissage par hasard fut remplacé par l'élevage systématique. Maintenant à la tête d'un troupeau imposant, Brodain Tousseur ne se satisfaisait plus d'élever pour simple consommation personnelle. Il rêvait maintenant d'établir un marché nord-américain de la mouche. À boire et à manger pour tous.

Pour le moment, la marchandise demeurait très difficile à écouler. Encore aujourd'hui, malgré le troisième millénaire entamé, malgré l'ouverture des esprits et la rencontre des mets internationaux dans nos assiettes familiales, très peu de gens sont prêts à payer pour se procurer des mouches. Se transposant dans l'époque, il est facile d'imaginer la misère proportionnelle du producteur. Non contemporain par encore plus.

Plusieurs fermiers lâchèrent. On en connaît. Mais Tousseur s'acharna. Il ambitionnait vaste. Il tenta même la création de nouvelles races métissées. Des mouches mouchetées. En mélangeant les bagages génétiques à la façon ancienne. Par l'accouplement de pères et de mères de souches différentes. Il espérait une espèce de classe à part. Une mouche désirable. Celle que les consommateurs s'arracheraient. Une mouche qui percerait le marché. Un rêveur. Mais sur le point de se réaliser.

Le soir commun

Par un soir comme les autres. C'était un soir normal de la vie courante à se demander si on est encore dans le conte ou retombé dans le quotidien banal. Brodain Tousseur était aux champs. Il rassemblait son troupeau pour le mener au mouchoir. Puis faire le train. Une routine énorme dans une grange miniature. Il travaillait avec méticulosité et démangeaisons. En sifflotant. Tout à coup, subrepticement, une tête ailée adolescente et rebelle s'échappa de l'essaim. Zzoum. Une mouchette détala vers la liberté. En bon berger, Brodain s'en voulut. Mais voilà. Soumis au rythme agricole des saisons et des soubresauts de la température, il évoluait loin de tous ces modèles ISO-9001 de qualité bureaucratique. Il ignorait même toutes ces législations concernant les interdits de rejets d'élevages dans l'atmosphère. Il laissa donc filer la déserteuse et n'y pensa plus. Parce que l'erreur est humaine. Et que ça met du piquant.

Cette mouche affranchie vola en ligne droite. Elle se posa bientôt sur le rebord du toit de la marraine d'Ésimésac. La mystérieuse bonne femme. Elle qui flânait dans les sorcelleries légères. Elle qui avait oublié un flacon de sa portion magique près de la fenêtre. Une bouteille où on pouvait lire en toutes lettres sur l'étiquette : « Eau qui rajeunezit. » Un liquide très puissant. Comme un ancêtre non dilué du supplément alimentaire sulfogamine glucogénique Dakota. Un élixir qui avait pour vertu de faire rajeunezir la personne qui en consomme. Suivant la posologie. En gouttes prudentes, qu'il fallait s'y adonner. On en avait vu trop souvent, assoiffés de jouvence, oser la gorgée et rajeunezir sans fin. Des victimes assommées de ribeurtes sans retour. Retrouvées couchées sur le plancher à l'état fœtal.

L'eau qui rajeunezit, avec parcimonie. Un produit non testé sur les animaux. Mais la mouche n'en savait rien. Elle-même en quête de nouvelles expériences, elle s'y trempa la trompe. Slurp. En absorba un grand coup. Et l'effet fut immédiat. Le cerveau de l'insecte prit des allures multifacettes. La réalité s'ajusta à sa façon psychédélique. Un buzzz. Un survolt. Avec des portes de la perception distorsionnées. Le cardiaque qui tape dans les tempes. Et sous l'intensité, le muffleur qui lui fend en deux. Troquant son léger bourdonnement pour une pétarade de Harley Davidson. Vroum. Une Aile's Angel lilliputienne.

Pour cause de tympans, pendant des semaines, les gens de Saint-Élie-de-Caxton ne dormirent plus. On entendait voler une mouche. Et rien d'autre. Des vrombissements à rendre fou. Et des nuits entières à veiller. Postés sur la galerie de leur maison, cannettes de push-push en main, tapettes à mouches armées, à attendre qu'elle se présente à portée de tir. Elle, boustée de course, qui échappait aux plus rapides assauts dans des slaloms aériens. Multipliée de puissance par l'essence. Et les cernes épuisés qui rayonnaient sur tous les yeux du village.

Tousseur, pour sa part, en tant que titulaire légal, tentait de consoler les insomniaques en leur disant qu'il n'y avait pas de danger.

— Soyez patients ! Je connais cette mouche. Je l'ai portée. À la mi-octobre, elle devrait réagir comme toutes les autres.

Elle va faire du poil noir, zigner dans une fenêtre et sécher tranquillement.

Brodain ne s'en doutait pas. Prétendre à l'expiration prochaine, c'était sous-estimer grandement le supplément alimentaire sulfogamine glucogénique Dakota. Les faits le démontrèrent. À la fin de novembre, la mouche sévissait encore. Elle suivait la charrue, le museau dans le bourrelet de neige. Au trente et un de ce mois des morts, dans la suite des choses, il est donc tout à fait banal d'avoir vu se poser cette mouche sur le poing d'Ésimésac. Voilà. C'est un détour explicatif, mais on s'attache plus émotivement quand on connaît bien la bête.

Les modalités de paiement

Donner un bon coup de poing,
c'est quelquefois casser la gueule à sa propre peine.
Jean-Aubert Loranger

Le forgeron ne respirait plus, saisi de peur. Ésimésac tremblait. Tendu au maximum. Tout prêt à expédier la charge. Quand il sentit cet insecte poser pattes sur sa jointure, son cerveau fit un tour dans ses veines. Il fut secoué d'un retour en arrière. Comme un flachebaque en français. Il revit sa marraine, en cette nuit de la Grande Greffe. La marraine qui avait insisté : *Premier conseil… Ne fais pas de mal à une mouche !*

Et il avait promis. Et il était trop tard. Et il était coincé. S'il frappait, il manquait à son serment. Sa parole d'honneur. Il n'avait d'autre alternative que de se retenir. Alors il réfléchit, puisqu'il en était là. Il considéra cette mouche qui allait lui empêcher le geste. Et en déductions. Autant dire que la mouche était plus forte que lui. Dans un sens. Si on veut. Et il poussa le raisonnement encore plus loin et pour lui-même, l'homme le plus fort du monde de Saint-Élie-de-Caxton.

— Si je voudrais [*sic*[*]] être plus fort que je le suis, il faudrait que je sois une mouche.

* Par souci d'authenticité. Conjugaison inconditionnelle. À Saint-Élie-de-Caxton, les « rais » adorent les « si ».

(À noter qu'à Saint-Élie-de-Caxton, pour encourager les contribuables à payer leurs taxes foncières, les instances appliquent un principe de stimulation du chéquier. Par conditionnement positif. Une forme de behaviorisme municipal. Ainsi, à la saison propice, quiconque règle son dû en totalité sur réception de la facture se voit les vœux exaucés tout au long de l'année fiscale en cours. Du côté de la mairie, c'est une façon efficace d'éviter les comptes en souffrance. Et pour le citoyen, en plus de réduire les arriérés, ça permet de se dilater le quotidien quand il s'obstrue. Ésimésac était du type à régler d'un coup. D'un versement.)

— Si je voudrais être plus fort que je le suis, il faudrait que je sois une mouche.

Et pouf. Instantanément. L'homme fort fut transmorphosé en mouche.

La mouche

Une mouche. Ésimésac se crut arrivé au sommet de la force et de la puissance. Il s'envola au-dessus des bois, à une vitesse prodigieuse. Et le vacarme grand V. Étourdissant. Il découvrait des angles des airs. Des jamais vus. Dans des brises qui font valser. Et les tympans qui poppent. Il volait, comme un Icare insectueux. Avec le ciel à portée de tout sur des chemins aériens qui s'inventent à volonté.

Étant arrivé près du lac Paterson, il descendit en piqué. Il visa la décharge. Celle qui lance le ruisseau. Pour refaire le plein d'eau. En rase vague, il s'abreuva de gouttes. Il ne vit pas, sous la surface, ce fretin subtil. Une truite. Vingt-quatre pouces. Toujours en sachant bien qu'à Saint-Élie-de-Caxton, on mesure les prises dans la distance qui sépare leurs deux yeux. On comprendra qu'un poisson de vingt-quatre pouces pêché chez nous, ça s'extrapole de soi. Avec le taux de change, on n'a pas besoin d'avoir bien long pour dépasser les prises d'ailleurs. Il suffit de faire la conversion. Deux pieds entre les yeux, ça double aisément la verge dans le tête-à-queue.

La mouche, elle. En basse altitude. Qui n'appréhendait rien. La truite n'eut qu'à ouvrir le clapet pour engloutir le projectile. Gloup. Qui plongea directement dans le tube de la sous-marine. Avec l'erre d'aller, déjà dans le ventre. Estomaquée. Enveloppée de sucs gastriques. Engluée. Sur le point de rendre l'âme.

Digérée avant la mort. Dans un combat qui n'aurait jamais lieu. Alors il réfléchit, puisqu'il en était là. Il considéra ce poisson qui allait le vaincre. Et en déductions. Autant dire que la truite était plus forte que lui. Dans un sens. Si on veut. Et il poussa le raisonnement encore plus loin et pour lui-même, la mouche la plus forte du monde de Saint-Élie-de-Caxton.

— Si je voudrais être plus fort que je le suis, il faudrait que je sois une truite.

(À noter qu'à Saint-Élie-de-Caxton, ce genre d'événements appartient au domaine du réel. Typique, il faut en convenir, mais encore acceptable dans la part normale des choses. Le récit qui nous occupe n'emprunte rien à ce merveilleux qu'on lie habituellement aux contes. La narration s'efforce, sous serment. Et dans plusieurs sens du terme. Les archives à la lettre. Pour que tout demeure encore à l'échelle du fait vécu. Parce que c'est ce qui nous intéresse. Le journalisme. De toute façon, audelà de la vérité, chacun peut bien s'arranger par lui-même.)

— Si je voudrais être plus fort que je le suis, il faudrait que je sois une truite.

Et pouf. Instantanément. La mouche forte fut transmorphosée en truite.

La truite

Une truite. Ésimésac se crut arrivé au sommet de la force et de la puissance. Il flacota d'aise et de souplesse. À se dégourdir. Puis à s'apprivoiser les différents coups de nageoires. Il découvrit les dessous de la surface. Il suivit le courant, bercé par le flot. Comme une touriste à la mer. En location d'embarcation. Et le moteur qui ronronne. Il en oublia son gouvernail. Il descendit en ligne. Mais il avait mal calculé son enflure de bedaine. Et l'écueil chaleureux. La coque accueillie par le sable et grimpée sur un haut fond. Les pataugettes suspendues dans le vide aquatique. Immobilisé. La propulsion dans le beurre. Alors attendre. Il se laissa caresser par le débit comme dans un bain tourbillon. Le secours viendrait bien. Et il vint. Se présentant sous forme de patte. Pour le dépanner. Une patte d'ours. Ou pour le paner.

La fourrure noire. Des poils gros comme des pouces. Des griffes en hameçons. Et une poigne ferme et rapide. L'ours puisa, agrippa le poisson, et se le lança dans les dents. La truite mutait en menu. Secouée de mastications. Et l'haleine de la mort dans la gueule de l'ours. Sur le point de rendre l'âme. Décès par repas. Dans un combat qui n'aurait jamais lieu. Alors il réfléchit, puisqu'il en était là. Il considéra cet ours qui allait le vaincre. Et en déductions. Autant dire que l'ours était plus fort que lui. Dans un sens. Si on veut. Et il poussa le raisonnement encore plus loin et pour lui-même, la truite la plus forte du monde de Saint-Élie-de-Caxton.

— Si je voudrais être plus fort que je le suis, il faudrait que je sois un ours.

(À noter que plusieurs personnes présentes lors de la quatrième édition du tournoi international de dames francophones internationales de dames francophones de Saint-Élie-de-Caxton ignorent tout de ce que l'on apprend ici. Les péripéties passèrent inaperçues pour la majorité silencieuse. Par trop vite. Parce que l'ensemble des métamorphoses présentées ici, une fois mises bout à bout, tiendraient dans une infraction de seconde minitésimale. D'un déroulement tellement rapide que l'œil nu ne suffit pas à percevoir. La plupart des témoins continuent d'ailleurs de croire qu'Ésimésac était en train de frapper le forgeron. L'illusion parfaite. Et la seule d'importance. Il ne faut pas s'en détacher. Sinon, on se perdra dans les détails de la logistique narrative. Ce qui nous permet de nous expliquer le long et le large de l'affaire, hormis cette incroyable architecture de parenthèses subtiles et enchevêtrées, c'est une mise en veille de l'action principale du récit. Les magnétoscopes actuels ne tolèrent pas que l'on tienne l'image figée pendant plus de quatre minutes. Les acteurs hollywoodiens en ont décidé ainsi. Toutefois, la technologie contemporaine à l'histoire peut rester à pause pour l'éternité. D'où l'attachement que l'on porte aux vieux appareils. On a même vu du monde se faire enterrer avec leur magnétoscope. Des archéologies précises, creusées aux pinceaux et datées au calcium de l'ère pré-grippespagnole, révèlent la présence de vieux VHS séchés, ensevelis dans la plupart de nos cimetières québécois. C'est un autre mœurs. Voilà. Soyons lucides.)

— Si je voudrais être plus fort que je le suis, il faudrait que je sois un ours.

Et pouf. Instantanément. La truite forte fut transmorphosée en ours.

AVIS
LA MUNICIPALITÉ
N'ASSUME PAS
L'ENTRETIEN
DES TROTTOIRS
PENDANT L'HIVER

L'ours

Un ours. Ésimésac se crut arrivé au sommet de la force et de la puissance. Le roi de la jungle. Un roi orgueilleux, malgré toute la modestie rachitique de notre jungle. L'ours. Comme si tous les sentiers de la forêt lui appartenaient. Un maître. Et des kilomètres de ces chemins qu'il inventait au fur de ses pas. Une aura de crainte avec personne, ni d'homme ni d'animal, pour se dresser devant lui. Incontesté. Incontestable. Jusqu'à ce jour de temps clair. Il se sentit viser dans les flancs. Il jeta un œil vers la source du regard et aperçut un collimateur. Une mirette de carabine rivée sur lui. Un visou de fusil. Et la mort explosive. Au bout de la lorgnette se tenait le forgeron Riopel.

L'arme à l'œil, la pipe au bec. Dans un nuage de tabac, il ajustait son angle mort. Lui suffisait d'un effleurement de gâchette pour que l'ours tombe. Une balle. Sur le point de rendre l'âme. Vaincu à bout portant. Dans un combat qui n'aurait jamais lieu. Alors il réfléchit, puisqu'il en était là. Il considéra cet homme qui allait le vaincre. Et en déductions. Autant dire que le forgeron était plus fort que lui. Dans un sens. Si on veut. Et il poussa le raisonnement encore plus loin et pour lui-même, l'ours le plus fort du monde de Saint-Élie-de-Caxton.

— Si je voudrais être plus fort que je le suis, il faudrait que je sois le forgeron.

(À noter qu'à Saint-Élie-de-Caxton, il coule des jours entiers où il ne se passe presque rien. À l'inverse, il y a des moments où deux choses se produisent en simultanéité. Ce jour-là, à l'instant où on entendit un coup de feu péter dans le ciel du village, une télécopie s'imprimait au bureau municipal. Un souhait demandé. Approuvé.)

— Si je voudrais être plus fort que je le suis, il faudrait que je sois le forgeron.

Et pouf. Instantanément. L'ours fort fut transmorphosé en forgeron Riopel.

Le forgeron Riopel

Le forgeron Riopel. Ésimésac se crut arrivé au sommet de la force et de la puissance. Il dépeça la bête noire qui gisait à ses pieds, encore chaude. Il redescendit au village avec son butin. Il offrit cette peau d'ours à Léo Déziel. Lui-même choisit de l'afficher sur le mur de blocs de ciment de son garage. Accrochée par les pattes d'en arrière. La tête en bas. Les yeux exorbitants. Comme une face d'ours surpris. Un regard saisi dans un moment où il avait vu quelque chose. Les allures d'une peau qui avait fait le saut avant de mourir. Écarquillée.

Le temps de quelques semaines et les loisirs automnaux. On en vint bientôt à la quatrième édition du tournoi international de dames francophones internationales de dames francophones de Saint-Élie-de-Caxton. Vers trois heures du matin, la finale du A. Le forgeron se retrouva au bout de l'entonnoir des éliminations. Devant lui : nul autre que lui-même. Ésimésac Gélinas avant les métamorphoses. Le face-à-face sur le damier verni. Comme un miroir.

Le forgeron fumait. Comme une cheminée. Comme quelqu'un qui déjeune avec des tranches de poêle à combustion lente en se levant le matin. La boucane dans tous les orifices manifestés de sa personne. La pipe au bec et l'œil pincé dans son nuage. Il s'en mettait plein la vue.

La tension était artérielle. Palpable. La partie allait son rythme. Les oh ! et les ah ! de la foule scandaient les changements de tours. Ésimésac s'avançait sur les cases à la tête d'une armée de dames déchaînées. Comme l'auteur d'une marée noire dont la tache d'huile se superficiait sans fin. Et les pitons rouges disparaissaient dans la vague. Aspirés par le fond. À laisser croire que le forgeron souhaitait la victoire de son adversaire. Comme s'il lui laissait des chances. Ceux qui avaient parié sur l'homme de fer s'en voulaient. Certains dénonçaient la mauvaise foi flagrante. Et le manque d'air. Le jeu penchait clairement du côté d'Ésimésac Gélinas. Ne survivaient maintenant que quelques petits points rouges hésitant au milieu de la flaque sombre. Comme un îlot perdu de tristes naufragés.

On sentait la fin proche. Le forgeron s'était fait dévorer vif. Aussi, avant de rendre les armes, il fut pris d'une montée dramatique d'adrénaline. Une bouffée d'instinct de survie lui monta à la tête. Une pompée d'air qui lui secoua les intérieurs. Il perdit contact avec la réalité. L'espace d'un clin d'œil. Le temps d'un mouvement. D'un geste inconscient, il saisit une de ses munitions et osa l'impensable. L'assistance s'estomaqua. À n'en rien croire. Le forgeron en phase terminale devant l'adversaire. Il se hasardait au-delà des principes. Il mangeait par en arrière.

L'absence de réaction fut immédiate. La foule fut glacée. Comme une plate-bande de légumes gelés. Un jardin de givre. Sauf pour le principal concerné. Chez Ésimésac, ce fut explosif. Par réflexe. Il se leva d'un bond. Le damier se renversa en emportant avec lui toute trace de faits saillants. Les jetons s'étalèrent sur le sol en ciment du garage. Il empoigna le forgeron par le chignon du cou. Fermement. Jusqu'au trognon de la pomme.

Il le souleva. Il se le plaça à portée d'atteinte. Puis il s'élança pour lui donner un coup de poing dans les dents. L'assistance ahurissa de plus bel. Pantoise et stupéfaite devant la primeur. Lui qui n'avait jamais frappé. Lui à qui on avait remis une ceinture à boucle western dorée. Lui qu'on s'arborait comme l'homme le plus fort du monde de Saint-Élie-de-Caxton. Et qui n'avait jamais osé. Enfin. Un peu de vargeage.

Il s'élança, donc. De la droite. Toujours tenant dans la gauche son vis-à-vis. Sa cible dans la main. Il recula le poing loin derrière. Loin, loin, comme pour accumuler tout l'élan d'Amérique. Pour engranger l'impact. Il se chargea d'essor. Jusqu'au sommet du ressort. Dans une motion de lanceur. Jusqu'à rejoindre le poing culminant. Au bout de son bras. Et Ésimésac dans la peau du forgeron sut que ça frapperait fort. Il connaissait ses crochets. Sur le point de rendre l'âme. Vaincu d'un coup. Dans un combat qui n'aurait jamais lieu. Alors il réfléchit, puisqu'il en était là. Il considéra cet homme qui allait le vaincre. Et en déductions. Autant dire qu'il était plus fort que lui-même. Dans un sens. Si on veut. Et il poussa le raisonnement encore plus loin et pour lui-même, le forgeron le plus fort du monde de Saint-Élie-de-Caxton.

— Si je voudrais être plus fort que je le suis, il faudrait donc que je sois moi-même.

Et pouf. Instantanément. Le forgeron fort fut transmorphosé en Ésimésac.

PERFORMANCE
PLUS
LA QUALITE
DE MARQUES REPUTEES
GARAGE LÉO DÉZIEL
ENR.
UN SERVICE HORS PAIR
Faites partie de la
MasterCard
VISA

La case départ

Comme si de rien n'était. Cette longue digression transformatoire s'évaporait dans un claquement de doigts. Sans trop de trace. Pour quelqu'un qui ne savait rien du fin fond de l'histoire, rien n'avait paru. L'action repartait à l'endroit exact où on l'avait bifurquée. À bout de soufflets. Et le poing d'Ésimésac prit la direction du coup. En ligne droite vers l'impact. Et les dommages. Et les grimaces. Le geste collisionnel à mi-chemin. Et tout s'interrompit. Encore. À la surprise régénérée. Ésimésac se dégonflait. Le marteau manuel à un demi-pouce du nez destiné. Il remuait son poing à la hauteur de la pipe du forgeron. Jusqu'à faire tomber la mouche dans le foyer fumant du brûle-gueule. Et ce fut tout. Avec le couronnement d'un petit pétillage crématoire de la bibitte. Il s'abstint de frapper. Et les abstints n'ont pas toujours tort.

* * *

(J'étais déçu. Une histoire qui s'étalait sur des pages et des pages pour n'aboutir à rien. Toutes ces simagrées pour qu'il ne fesse pas. Moi qui avais onze ans. À cet âge où on court après ce qui barde. Ma grand-mère disait qu'il ne frapperait sans doute jamais. Et j'insistais. Une fois seulement, pour voir. Et je secouais la sacoche pour que les mots se mélangent et que le livre se transforme. Mais la fin de l'histoire s'étouffait toujours. C'était la sagesse, que prétendait ma grand-mère. Et je ne comprenais pas ce qu'il y avait de sensé à manquer de punch.

Aujourd'hui, avec le recul des années, la clarté philosophique nous apparaît mieux. Sur le moment, pour moi, ça demeurait lâche.)

* * *

Ce fut la dernière édition du tournoi international de dames francophones internationales de dames francophones de Saint-Élie-de-Caxton. La finale fut comptabilisée pour fins de statistiques comme un dénouement d'ex-æquo. Égalité. Nul. Et les participants et spectateurs déçus à l'unanimité. Un chiffre de nuit pour conclure sans dénouement. Toutes les mises perdues. Chacun rentra à la maison pour aller dormir avant l'aube. Le forgeron suivit l'exemple. Il s'enfila dans son lit sans attendre. La jaquette fripée, le bonnet sur les yeux. Il soupira d'exténuation en s'imprégnant dans la paillasse. Avant de partir pour le pays des songes, il déposa sa pipe sur sa table de nuit.

(Ma grand-mère, elle était de la race des ceux qui disent qu'il ne faut jamais cogner. Elle allait jusqu'à prétendre qu'il faut éviter tous les coups. Autant pour celui qui frappe que pour celui qui se fait frapper. Dans sa bouche, ça se prononçait comme un proverbe. Que le trou souffre autant que le clou. C'était sa manière de pratiquer. Les arts marteaux.)

Et remouche

[...] dans l'ambition de rendre éternelle cette lueur
on la transforme en histoire, pour autant qu'on le peut.
Alessandro Baricco

On sous-estime souvent le supplément alimentaire sulfogamine glucogénique Dakota. Le sommeil profond ronflait déjà chez le forgeron Riopel. Mais dans le foyer de sa pipe, la mouche avait un regain de vie. Un relent d'espoir. Zzz. Avec quelques frémissements d'ailes rapides, elle réussit à s'extrapulser du trou chaud. Intacte. Pour seule preuve de l'accident, elle portait, effoirée dans le derrière fendu, une braise de tabac encore fumante. La mouche, le feu au cul, traversa le village vers le nord nord-ouest. Vitesse flamboyante. Comme une étoile filante qui ne s'éteint pas. Un feu de Bengale urgent. Elle passa devant la fenêtre de Brodain Tousseur, l'éleveur de mouches. Lui qui était sur le point de s'assoupir. Et qui capta le flache. En eurêka! Une idée qui l'empêcha de dormir sa courte nuit. Mais qui le fit rêver beaucoup. Au lendemain, il offrait à sa clientèle une nouvelle sorte de mouche. Le carnet de commandes déborda.

On venait d'inventer, par hasard, un insecte de classe à part. La pure magie de l'inadvertance. Une mouche désirable et dont les gens voudraient. Le seul insecte pour lequel on serait prêts à payer gros prix. Celui dont les villages s'arracheraient les cheptels pour en remplir leurs terrains vacants et parcs à repos. La première mouche à feu. Faite main. L'ancêtre artisanal de toutes ces lucioles usinées de nos campagnes estivales modernes. Voilà. Made in Saint-Élie-de-Caxton. Et que chacun se la mette dans sa pipe respective.

CHAPITRE 2
LE DRESSEUR DE VENT II

ST-PAUL
RUE
ST-PIERRE

L'avaleur n'attend pas l'ombre des années

On marchait longtemps. En parlant. Jusqu'à se perdre le parcours de vue. On avait tourné à droite sur l'avenue du Parc. Marché. Encore à droite sur Saint-Pierre. Et trottine. Jusqu'à la rue Saint-Paul. On prenait à gauche chez Eugène pour le plaisir de descendre la double côte. Ma grand-mère flottait autour du quinze points. Sur le taux glycémique. Le pas d'ailleurs plus plein. Elle avait le souffle long. À nourrir les jambes et les oreilles.

Au bout de la rue Saint-Paul, on parvenait à l'île aux Têtes. Un retranchement à la toponymie populaire. L'île aux têtes. Et pourtant même pas une île. Une presque, mais pas complète. Formée par un détour de la rivière. Un coude en U qui crée un bras de terre où s'entassent quelques toitures. Une presqu'île selon la définition. Vite devenue une île par raccourci verbal. Voilà. Et les Têtes ? L'explication se trouvait dans le livre. Secoué par l'accélération de la côte.

* * *

Ésimésac Gélinas a vu le jour après une quinzaine d'années de gestation. Adolescent. La naissance en pleine crise de croissance. Et affamé. Avec une mère qui n'avait rien d'autre sous la main que l'allaitement par voies naturelles. L'instinct maternel et les mamelons habitués. Évidemment qu'il ne se priva pas. Affamé. La tété ternelle chez le nourrisson. Il siphonnait. Et plus que la disponibilité des stocks. Au débit, la bonne femme s'épuisa rapidement les réserves. À sécher de bouts. Une semaine seulement, et elle prenait des allures d'emballage sous vide. Ressipée tout entière. Une femme en ronde-bosse devenue de joues creuses. Le dos concave et bombé par en dedans. Bue entière. Et le grand bébé pleurait toujours. Avec la faim justifiée. Sans les moyens.

L'entreprise du voisinage avait été de faire appel à la générosité. Une activité-bénéfice axée sur les talents locaux. On se tourna rapidement vers les femmes de l'île. Celles-là dont la réputation était très pourvue sur le plan des glandes lactées. On en fit la collecte généreuse lors d'une soirée de chaises berçantes. Une traite générale. Un laitothon. À assouvir le ventre du plus assoiffé.

Grâce à la solidarité décolletée récoltée, Ésimésac eut la chance de grandir normalement. Et plus encore que la normale. À s'exagérer l'abondance des bustiers. Et à nommer l'île en hommage à ses têtes charitables.

* * *

Le retranchement des seins tétiques était déjà derrière nous. On avait franchi le pont de la rue Saint-Jean avec ce proverbe communautaire qui veut que ça prenne tout un village pour faire grandir un enfant.

L'ÉRECTION DU CLOCHER

On déambulait sur Saint-Jean jusqu'à la croisée de la Principale. Une façon de revenir sur l'artère majeure. À nos droites, la première maison sur le coin. C'était celle de Tousseur. Brodain Tousseur. L'éleveur de mouches. Celui-là qui, outre par sa vente de bière artisanale, sut faire recette de ses entourloupettes d'esprit. Un ratoureux. Qui avait non seulement trouvé la façon de rendre sourd un curé, mais surtout celle d'en tirer profit.

* * *

C'était un curé neuf. Mandaté d'urgence par l'évêché à la suite de l'incendie de l'église. De ces mêmes flammes qui avaient emporté le très vieux curé antécédent. Un curé neuf intégré depuis quelques semaines. Apprécié pour sa simplicité et son absence. Et qui avait finalement demandé la construction d'une nouvelle église. L'actuelle. Celle que l'on trouve encore sous notre clocher. L'ordre de lancement des travaux donné, la bâtisse s'était érigée démocratiquement. En corvées spontanées. Dans les grandes règles de l'anarchitecture. Suivant les talents et disponibilités de chacun. Un bâtiment tenace, quand même. Tout muré de pierres et toité de tôle. Certains perfectionnistes y verront les accrocs, mais la structure mérite mieux. De toute façon, il n'y a qu'à savoir qu'on se trouvait en état de bénévolat. Et d'ébriété. Pour seul plan que les idées des volontaires. L'œil aiguisé remarquera, entre autres, le chemin de croix installé à l'envers. La Passion qui se commence par la fin. Une chose à laquelle les pratiquants se sont rapidement adaptés. Avec plaisir. Les stations à reculons. Le moyen idéal de se garantir d'une finale encourageante. Et une certitude que dans notre église, le Fils de Dieu est beaucoup plus heureux qu'ailleurs.

À l'intérieur, il y a aussi le Christ en croix qui s'examine bien. Une sculpture qui a bien failli devoir rester à l'extérieur. Parce qu'elle fut livrée à l'église à la fin des travaux. Et que l'on se rendit compte seulement à ce moment que son envergure dépassait la largeur du cadrage de la porte. Les plus sûrs d'eux s'essayèrent à le faire entrer malgré les quelques pouces de dépassement. À zigner, cointer, prailler. Mais rien à faire. Il fallut se résoudre à solliciter Ésimésac. L'homme à la boucle de ceinture western dorée. Lui qui ne lésinait pas sur les manutentions impossibles. On lui ouvrit grandes les portes centrales. Il empoigna d'abord le T béni par le pied. Il se l'accota en travers de l'ouverture. Dans l'angle de l'hypoténuse, pour les chances de son côté. Et il poussa. Sans à-coups. D'une pression égale. La largeur retenue dans le chambranle trop étroit. À faire plier les bras du crucifix. Avec Jésus qui se les rabattait de plus en plus le long du corps. Arquant. Et l'assistance d'encourager la démarche. Avec la confiance dans le principe qui veut que tant que ça plie, ça ne casse pas. Comme un chien qui jappe ne mord jamais. À se signer de la croix, les yeux au ciel, en implorant la clémence.

— Pliez pour nous, pécheurs.

Le crucifix finit bien par se soumettre. Dans les lois de la physique. Il est toujours là. Cloué sur le mur avec un souvenir de courbe dans l'axe. En hiver, un peu moins tordu. Trop sec grâce au chauffage. Mais en été, avec l'humidité, les bras qui tendent à redescendre.

On ne parlera pas de la girouette en aluminium et des bancs en petites planches embouvetées. Seulement se répéter que l'église fut construite avec les moyens du bord. Elle y est toujours.

La surdité volontaire

Brodain Tousseur. Lui qui, à l'usage des messes du nouveau desservant, avait réussi à convaincre la fabrique que le vin de messe était une denrée périssable. Et que ça passerait de mode. Et que le concile finirait par verser dans la bière de messe. Bref, depuis peu, il fournissait en bière de bibittes le curé neuf.

Pour la livraison, on lui avait remis un double de la clé de la sacristie. Ainsi, il pouvait transporter son liquide sans déranger personne. Du même coup, il avait tout le loisir de se désaltérer à même le jus vendu. Et s'il advenait qu'il lui manque quelques gallons de jovialité par une veillée de soif intense, il ne se privait pas pour emprunter le malt nécessaire. Toujours soucieux de compenser d'autant en eau. Et on n'y voyait que du feu.

La beuverie étant chose agréable, la bière de messe diminuait en portion spectaculaire dans les contenants. Graduellement, Brodain en était venu à délivrer maintenant plus qu'il ne livrait. Jusqu'au point où l'emprunt dépassa la marge de débit. À ce moment, le curé décida de sobrer son défournisseur. Il profita du moment de la confesse pour lui adresser ses reproches. Brodain était en place, de l'autre côté du grillage sacré.

— Monsieur Tousseur, la bière disparaît z'et se perd dans la sacristie…

— Je comprends pas, m'sieur le curé !

— C'est pourtant facile z'à comprendre. Vous z'êtes le seul z'à avoir la clé.

— J'entends rien, m'sieur le curé !

Brodain feignait le dur de la feuille. Pour s'éviter l'accusation. À jouer le sourd pour se sentir moins concerné.

— Je sais que c'est vous ! Il faudra z'avouer un jour z'ou l'autre.

— J'entends vraiment rien de ce côté-ci ! On dirait que votre moustiquaire est bouché !

Le confessionnal neuf. Déjà défectueux. Le curé perplexe s'éjecta de son casier et proposa au confessé de changer de place avec lui.

— Je vais vérifier z'à quel point z'on n'entend pas.

Brodain ne se fit pas prier. Il s'accapara la place du confesseur, ce pendant que le curé s'agenouillait du côté passager. Et la parole fut à Brodain, par principe.

— M'sieur le curé, je connais quelqu'un qui couche avec la veuve S... de Saint-Barnabé-Nord...

Et le curé de fléchir et de réfléchir. Pour se confondre et adhérer au défaut de fabrication de la claire-voie.

— Vous z'avez raison : on n'entend rien de ce côté-ci !

Ce fut la façon. Le curé sourd à ses heures. Et le suspense pour les pratiquants. À ne plus savoir quel matin le confessionnal deviendrait malentendant ou non. Un risque à prendre pour les gros péchés, mais surtout une façon commode pour Brodain de puiser des tournées générales dans les réserves de bière de la fabrique.

Les doigts croisés

La superstition,
c'est une manière d'espérer.
Balzac

On déroulait la rue Principale en revenant vers le haut de la côte. Ma grand-mère arborait un taux dans les alentours du dix. En sucre.

Côté sacoche, les aléas du brassage pédestre avaient placé les mots dans le livre de façon à donner à raconter les espoirs du village. Ma grand-mère m'exposait en large les superstitions locales.

On connaissait le grillage du confessionnal qui devenait silencieux à ses heures. Il y avait le chapelet accroché sur la corde à linge comme manière de s'assurer du beau temps pour les lendemains. Et les cloches de l'église qui sonnaient toutes seules pour augurer une mort prochaine. Et les doigts croisés qui attirent la chance.

Parmi ces nombreuses croyances populaires, il en est une qui nous est propre et tenace. Sur la façade de l'église. Là où, lors des travaux de construction, on plaça une pierre plus grosse que les autres. Parmi celles qui forment le coin. Sur l'arête gauche du mur de façade. À la hauteur du parvis. Une roche que l'on remarque parce qu'elle porte, gravée à sa surface, des chiffres. Un, neuf, deux, un. Rien pour s'en faire une légende, de prime abord. Toutefois, si on s'y connaît dans l'histoire de nos monuments, on comprend que ce nombre correspond avec l'année de l'inauguration de l'église. 1921. Hasard ou coïncidence. Chose sûre, suffisamment de concordances pour ouvrir la piste des suppositions. La plus répandue voulant que cette roche ait été creusée. En vue d'une cachette. Et qu'elle contienne un vide dans lequel on aurait dissimulé un coffret. Lequel renfermerait un manuscrit. Lequel rapporterait une histoire. Et l'arbre est dans ses feuilles, maridon dondé. Le sujet de ce récit ? Les versions ne s'entendent pas.

* * *

On remontait la côte. Le pointage glycémique dégringolait sous l'effort de la pente. Un gros huit.

Pour en avoir le cœur net de ce parchemin inaccessible, j'avais mon plan. Sachant que ma grand-mère pouvait lire un livre fermé dans sa sacoche zippée. Restait à lui tester l'analphabétisme sur une garnotte géante.

Le haut de la côte atteint, je halai subtilement. À bifurquer à gauche. Elle me suivit dans la cour de l'église. Jusqu'à être bien positionnée devant la pierre mystérieuse. Restait qu'à lui demander de me montrer.

Elle se concentra. Quelques gorgées du Pepsi diet à portée de sac à main. Elle mettait son dentier. Pour le mordant. Et comme un symbole. Parce qu'on reconnaît les illettrés à la lecture. À ceux qui mettent leurs dents plutôt que leurs lunettes. Elle fixait le mur, à hauteur du chiffre. Elle perçait jusqu'au cœur du coffret. Et elle me découvrait l'histoire secrète.

La misère

Tout avait commencé dans les années de la grande pauvreté. En ce temps où des familles entières ne mangeaient que de la misère. Certaines n'ayant même plus de misère personnelle tellement elles avaient dû en digérer. Et il n'était pas rare de voir des indigents devoir en emprunter quelque quantité au voisin pour se la servir aux repas. La misère des autres, sans souci d'hygiène ou de passation de microbes. Des dédaigneries que les agences sanitaires modernes ne toléreraient plus sous prétexte. Sous aucun.

On se trouvait au plus profond de ces années si rudes que plusieurs n'avaient plus rien à se mettre aux vidanges. À ce point du dépourvu que les poubelles gisaient vides. Et à perdre des nuits entières pour se surveiller les déchets respectifs. Chez les chanceux. Parce que les moins nantis risquaient de vous voler vos ordures ménagères dans le seul but de se rehausser l'image publique. Pour feindre d'avoir les moyens de jeter aussi. À imiter l'opulence pour camoufler son stade précaire. Et généralisé. Parce qu'au moment où les déchets deviennent la mesure de la richesse, la qualité de vie mérite qu'on la remette en doute.

Dans l'ordre des choses, les premiers signes du scandale apparurent en mai. La fameuse crise du linge volé éclata. Les vêtements qu'on ne pouvait plus laisser sécher à l'air doux du printemps sous peine de se les voir subtilisés. Dès le dos tourné. Et par réaction spontanée, des familles entières obligées de se promener en habits sales. Ou alors, pour les tenants du propre, du tordage de guenilles lavées que l'on choisissait de porter encore humides. Avec tout ce que ça entraîne d'irritations dans les aines et autres articulations propices aux humidités.

Par chance que devant cette misère profonde, les habitants s'épaulèrent à la roue. Par instinct de survie, les villages d'alors et d'ailleurs rebondirent de façon créative. On vit fleurir des talents insoupçonnés. Parce que l'occasion fait le larron. Et l'inverse souvent.

Les patenteux

C'est un des traits particuliers de la culture québécoise. Une distinction sur laquelle on devrait miser pour les avenirs et touristes internationaux. Le Québec en est rempli. Si on gratte bien. Chaque rang de campagne, chaque retranchement de terre battue, chaque village dispose de son patenteux. Comme un représentant de ces artisans modérés issus de la grande lignée des bizouneux de cossins d'inventions de patentes à gosses. Ces créateurs d'objets fascinants qu'on nous présente toujours comme des solutions. Parfois tellement poussées dans la performance que ça se présente comme des solutions à des problèmes qui n'existent pas encore. Et qu'il peut devenir angoissant de tenter de s'imaginer le type de problème à venir en voyant certaines propositions de bidule de secours. Voilà.

Pour faire face à la misère, les patenteux de l'époque occupaient un poste important dans la hiérarchie des communautés. À Saint-Élie-de-Caxton, pour assumer la fonction, nous avions droit à un forgeron Riopel débrouillard. Son invention la plus reconnue fut sans doute les fers à cheval à talons hauts. Vint ensuite le grille-pain à une seule fente. Pour venir en aide aux familles au nombre d'enfants impair. Parce qu'on sait bien qu'en temps de manque, l'utilisation du grille-pain conventionnel n'était permise qu'avec un chargement minimum de deux tranches de pain. En deçà de ça, on vous rangeait dans la marge gaspilleuse. Les hommes et les femmes se forçaient donc à engendrer dans un nombre pair d'enfants pour satisfaire sur les déjeuners. Chez les familles moins chanceuses dont le décompte ne se divisait pas par deux, le petit dernier demeurait plus svelte que les autres. Par pur principe d'économie d'énergie brûlatoire de toaster. Par chance, avec la sortie de ce grille-pain à une fente, on réglait le cas de la tranche unique. Et du non-désiré par le fait même. Et puis revoilà.

Cette fois-là des vols répétés de vêtements sur la corde à linge, le forgeron Riopel puisa dans les idées géniales. Il imagina un dérivé de l'épingle à linge, celle que l'on connaît, sur laquelle il ajouta l'option d'une serrure. Une pince à linge qui se barre à clé. En fer forgé. Une révolution lessivaire. Et un succès commercial dans le voisinage. Bien sûr que les femmes se retrouvaient avec des trousseaux de sept à huit cents clés dans les poches de leur tablier et des heures entières à enlever le linge de la corde parce qu'il fallait retrouver laquelle, dans la quantité, allait avec laquelle des verrouillées. Mais malgré tout le désagrément, pas question de se plaindre. On entrevoyait enfin la possibilité d'un retour aux habits secs.

La sécheresse

Quelqu'un criait la nouvelle. Sur les toits tranquilles d'un soir de semaine. On annonçait un mariage pour le samedi. Personne en particulier, mais au cas où. De toute façon. Une occasion de se détendre. En plus qu'il se produit si peu de choses au village, qu'il vaut mieux s'inventer des événements par soi-même. Et puis les noces, c'est bon pour le moral. Le samedi, donc.

Dans la fin de journée du vendredi, en geste serviable, Ésimésac suspendit son chapelet sur la corde à linge. Pour s'assurer du beau temps du lendemain. Il pinça l'épingle, barra le double tour et, dans les minutes qui suivirent, perdit la clé. Comme prévu dans la météorologie superstitieuse, le samedi fut impeccable. Une température de ciel, tout en soleil et chaleur. Un temps idéal. Presque à convaincre quelqu'un de se marier véritablement. Avec la promesse des années de bonheur.

Le dimanche, il fit beau aussi. Et aussi beau. Du plafond bleu et des rayons doux. Sur mesure pour un jour du Seigneur. Le lundi, par extension, parfait. Et le mardi, caniculaire. Et le mercredi d'autant. Et le jeudi de suite. Et le vendredi de même. Le chapelet coincé depuis une semaine. Ésimésac avait gaspillé ses insomnies à tenter d'ouvrir l'épingle à serrure. Incapable. Il rentrait au matin, ébouriffé, prétextant des nuits sur la corde à linge.

Les jours s'enchaînèrent au pas lent. Comme la relativité temporelle veut que la misère ralentisse les tranches d'heures. Les semaines tardaient, comme des farandoles de boiteux. Le temps demeurait au beau. Fixe. Plus rien à jaser dans les conversations sur le temps qu'il fait et qui ne fait pas. Tout épuisé du champ lexical ensoleillé. La canicule. Les semaines et les mois. Les années même. Une sécheresse craquante plana sur le paysage. On accumula au total quinze années de sécheresse. Quinze ans. Condensés. En l'espace d'un été. C'est vous dire à quel point ça manquait d'eau.

Des vies entières furent bouleversées. Plus question de sourire. La peau croustillante menaçait de se déchirer de la joue aux oreilles. Des yeux gerçaient, à demi ouverts. Une poussière fine recouvrait tout, et pas une miette de vent pour la déplacer. Sec. La nappe phréatique chez le diable. L'eau bénite en grumeaux. Le niveau de la rivière qui descendait et qui chutait. Jusqu'à ce que les premiers poissons commencent à attraper des puces de chien et que les faunistes s'y mettent le nez. Jusqu'au thé qui redevenait poche originelle. Des choses qu'on n'ose même pas imaginer. L'archiduchesse, par exemple. Elle-même en chair et en os. Au-delà de ses chemises et de ses beaux atours. L'archiduchesse sèche ? Archi-sèche, la bonne femme. Une archiduchesse qui se défaisait en poudre. Une archiduchesse en voie de lyophilisation. Avec une infirmière préposée qui lui mouillait les lèvres à intervalles réguliers avec une petite débarbouillette d'eau froide. Sec. Interdiction de fumer dans toute la région de la Mauricie. L'indice de feu portait l'aiguille dans ce qu'il a de plus rouge. Un été aride. Torride. Horrible.

Les dernières flaques s'étaient évaporées depuis longtemps. Après tant de temps sans pluie, les paroissiens avaient la bave séchée. Certains accédaient au stade douloureux de la pisse en pâte. Pas d'eau. Et toujours pas l'ombre d'une averse à l'horizon. Des adolescents qui n'avaient jamais plu de leurs yeux vus ailleurs que dans les livres. Douze ans, treize ans. Tous nés de la dernière pluie. On leur parlait de nuages comme de légendes incroyables. D'un temps lointain où l'eau tombait du ciel.

— Quand on entendait le train siffler à Charette, dans le village voisin, ça annonçait la pluie.

Dans le secret de leur petit lit, les enfants tardaient à s'endormir. Comme des veilleurs d'espoir qui rêvaient de surprendre le cri du train, la promesse de l'eau. En vain. Les rêves mouillés se partageaient à l'unanimité. Même le curé neuf fantasmait humide. Son dernier sermon avait porté sur le récit du Christ qui transformait le vin en eau. Et personne n'osait croire sans boire.

La seule personne à ne pas se bâdrer avec la déshydratation régionale, c'était la sorcière. Cette marraine mystérieuse du fond du rang. Elle qui ne semblait pas affectée le moins du monde. Stoïque ininterrompue. Que l'on soupçonnait d'ailleurs de mèche avec le feu et qui devait sans doute s'approvisionner au puits des enfers.

La faiseuse de pluie

Par un soir de brosse paroissiale chez Brodain Tousseur, la bière de bibittes comblait les soifs accumulées. Et les déboires. Dans une langue de bouches pâteuses, le sujet de discussion des gars chauds tournait autour du manque. Blablabla. La dérive ivre les porta bientôt sur la réputation de la sorcière. Certains prétendaient qu'elle détenait les pouvoirs capables de faire pleuvoir. Un don d'arrosage. Qu'il suffisait de lui demander, sans dire merci. Et que, finalement, on avait besoin de ses services aquatiques.

Dans le laps d'en boire une dernière pour la route, la délégation se forma. Une douzaine des moins pactés furent mandatés pour aller négocier du mauvais temps. Malgré l'heure tardive. Ils marchèrent en ligne croche jusqu'au lac aux Sangsues. À l'entrée du domaine. Et la maison au bout du chemin. La porte s'ouvrit avant même qu'ils ne frappent.

— Entrez, les gars. Je vous attendais.

Au beau milieu de la nuit. Accueillis. Déchaussés. Puis elle les avait installés dans le divan mou. Elle leur avait servi une tasse de thé, pour les faire parler. Comme une thérapeute tripante. Avec des aises de jasette, mais qui calcule sous cape. On venait lui implorer la pluie.

— Certainement, mes très chers. Suffit de vous entendre sur la date.

Le plus incrédule se mit tarir. Un asséché rebondit avec précipitation et proposa qu'il pleuve tout de suite. Il fut repris et rassis. Sous prétexte qu'ils étaient venus à pied. Qu'ils voulaient éviter de revenir à l'eau. Il vaudrait mieux attendre au lendemain.

— Absolument pas, s'opposa un autre. Demain dimanche, c'est la messe en plein air. Ça serait mieux lundi.

— Lundi, c'est la journée prévue que je monte au bois. Allons-y plus pour mardi, lançait le prochain.

— Pas question. La famille de ma femme descend de la ville. On leur a promis de veiller sur la galerie. Attendez au lendemain.

Puis chacun y alla de ses préférences et caprices mouilleux.

— Moi, c'est bien simple. Si vous me faites mouiller le mercredi, je déménage.

— En tout cas, que j'en vois pas un pleuvoir jeudi. Ma peinture de toiture aura pas fini de sécher. Pourquoi pas le vendredi.

— Parce que je vas redescendre du bois.

— Puis samedi, c'est l'épluchette de blé d'Inde au profit de la fabrique.

La sorcière avait fini par reprendre les cordeaux de la discussion. Les poings sur les hanches et sur les i.

— J'ai bien compris. Vous pouvez partir.

La semaine s'écoula sans goutte. Comme si les demandes avaient été suivies à la lettre. Évidemment que tout le monde crut que la sorcière y était pour quelque chose. Comme une leçon à donner. Par les pouvoirs de l'irrigation. On se le répétait pour ajouter à la crédulité. Elle avait pris soin de le spécifier.

— Je vais faire mouiller quand vous vous entendrez sur une date.

Maintenant sans l'ombre d'un doute. C'était elle qui faisait la pluie.

L'ÉTINCELLE

Par un matin comme les autres. C'était un matin normal de la vie courante à se demander si on est encore dans le conte ou retombé dans le quotidien banal. Calme plat. Dans tous les villages du coin. Parce que Saint-Élie-de-Caxton n'est pas seul à s'entourer. Autour de notre superficie, plusieurs autres municipalités se sont défrichées. À frontières communes avec chez nous. Jouxtées. Comme des pétales contiguës autour de notre cœur. De ces Charette, Saint-Paulin, Saint-Alexis-des-Monts et Saint-Boniface.

Dans la cinquième pétale de la fleur régionale, ce matin-là. À Saint-Mathieu-du-Parc. Aucun bruit. Jusqu'à tout à coup. Bzzzz. Un objet volant détecté sur les radars. Une mouche. Dont on ne s'aperçut même pas que le derrière allumait dans le noir parce qu'on se trouvait en plein jour. Une mouche à feu dans une zone non-fumeur. L'inconscience collective. Une luciole artisanale qui se déposa sur une feuille d'arbre desséchée. Halte routinière. Quelques pétillages dans le derrière et la mouche décida de se déloger pour s'envoler vers les cieux plus cléments de La Naudière, région voisine. Elle laissa derrière elle quelques braises sur feuille, comme un tabac avant le temps. Un mince filet de fumée qui consumait la branche hospitalière. Et les petites étincelles s'éparpillèrent dans une touffe d'arbustes flétris qu'elles grignotèrent en craquant. Et d'une touffe à une autre. En plus que Saint-Mathieu-du-Parc présente une forte tendance à la touffe de proximité. On l'appréhende bien. Le feu prospéra et se répandit. Jusqu'à l'atteinte des dimensions d'un incendie. Les maisons du village s'embrasèrent une à une. En quelques minutes, toutes les constructions de Saint-Mathieu-du-Parc disparurent. Envolées. Plus qu'un horizon de cendres. Et le vent se leva.

Jusque-là, pas de drame. Le village de Saint-Mathieu-du-Parc rasé, ça pouvait se digérer. À la limite. Mais la brise. Et son facteur. Un vent qui portait en droite ligne vers Saint-Élie-de-Caxton. Comme il l'est d'ailleurs de coutume. À se demander quel tort on a pu faire à l'Éole pour qu'il choisisse de souffler toujours sur nous. Sur le cœur de la fleur régionale. Comme adepte du carrefour de la rose des vents. Il faut faire l'expérience pour le comprendre. Qui que l'on soit. Suffit de s'installer à Saint-Élie-de-Caxton pour quelques heures et de sentir le vent. Qu'il provienne du nord, du sud ou de l'ouest, il viendra sans faute dans notre direction. Tellement insistant qu'à la longue, on ne regarde même plus où il va, le vent. On se demande plutôt d'où il vient.

Un petit vent, donc. Rien pour l'écornage des bœufs, mais en égal et continu. Du nord nord-ouest. Sans détour depuis Saint-Mathieu jusqu'à Saint-Élie-de-Caxton. Les flammes penchaient déjà dans notre direction. Autour du midi, la brise sentait la braise. On envoya Babine, le fou du village, courir au-devant de la catastrophe pour en mesurer l'amplitude. Tâter de la magnitude du feu. Il fit vite. Parce que la brûlure a pour vertu d'accélérer les jambes. Il revint beurré de suie. Et pour cause. Les sourcils frisés sous l'effet combustible. Comme un bourrelet de poils mélangés dans le milieu du front. Le ciel se chargeait tranquillement d'une épaisse couche de noirceur de créosote. Un ciel lourd comme à ces orages oubliés, mais l'averse en moins. Tellement de nuages que le soleil se clipsa. À une heure trente dans l'après-midi, il faisait noir comme chez le plus noir des loups. Un téléporté non averti aurait mordu à l'idée d'une heure trente du matin. Une nuit en plein jour. Le cataclysme annoncé. Des pressentiments de jugement dernier dans une ambiance de barbecue.

L'incendie se développait en étendue. Le front couvrait maintenant la largeur du village. Pour l'effacement d'un trait. Porté par le vent qui se gonflait. La ligne de feu s'avançait à grandes enjambées dans la forêt qui sépare les deux municipalités. Dans ce bois rescapé des quinze années de sécheresse. La table était mise et les langues de feu se bourraient la gueule dans les épineux. Le malheur courait à notre rencontre. Et le vent gagnait en kilomètres/heure.

Bientôt, ce furent les cloches de feu qui ameutèrent les derniers informés. Et l'hystérie collective. Tout le monde convergea en panique vers l'église. Les moins pratiquants paniquèrent et se fondirent dans l'assistance. La liesse. La foule compacte se massa entre les quatre murs de pierres encore tièdes. L'église neuve. On referma les portes sur les derniers arrivés. Pour éviter que la boucane n'entre dans les poumons pastoraux.

Comme première manœuvre, et pour calmer les nerfs, le curé neuf demanda silence et recueillement. Une minute ou deux. Ne sachant plus où donner de la rescousse, il délégua un sauveteur. Il se tourna vers Ésimésac et invoqua la pitié communautaire. Devant l'assemblée, il tourmenta l'homme le plus fort du monde de Saint-Élie-de-Caxton d'agir. Il insista sur sa force, sur sa réputation et sa ceinture. Il lui conclut la chose en le nommant pompier. Volontaire ou non. Peu importe, dans de pareilles circonstances. Pour sa part, Ésimésac ne broncha pas. Les fesses fixées à son banc. Réaliste. Se sachant bien incapable d'extinction devant autant de flammes.

— Je suis pas celui que vous pensez !

La brebis refusa l'égarement, l'agneau de rôtir. La solution épuisée. Le curé neuf, pour seule consolation à sa paroisse en proie, procéda donc à une messe d'extrémité. Une célébration du dernier des cas où. Une cérémonie à l'allure des dernières volontés.

— Orémus z'y vobiscum...

— Amen.

Le latin s'embourbait dans une atmosphère lourde. Une peine capitale. Et tellement de fumée à l'extérieur que personne ne pensait à la cigarette du condamné. Même le forgeron avait éteint sa pipe. Et l'encens se le tenait pour dit.

— Un crochet z'à gauche z'y swigne la compagnie...

—Amen.

La prière s'éloignait des formules habituelles. Le curé se concentrait sur autre chose. Le plus dur pour lui, c'était de continuer à parler avec de l'écho. Une des premières choses qu'on leur apprenait au séminaire. Mais voilà. Sa réverbération s'étouffait dans la fumée inhalée au préalable. Comme les meilleurs siffleux perdent leur charme quand on leur bourre la bouche de biscuits soda.

— On foule z'au centre z'et tout le monde danse...

— Amen.

Les enfants toussaient et les femmes se frottaient les yeux. Plus d'eau depuis des lustres. Maintenant plus d'air. La situation péniblait à son plus haut niveau.

— Changez de côté, vous vous z'êtes trompés...

— ...

Septième rangée à partir de l'avant. Côté cour. Ésimésac debout. Illuminé. Comme si cette dernière phrase latine lui était réservée. Son cerveau fit un tour dans ses veines. Il fut secoué d'un retour en arrière. Comme un flachebaque en français. Il revit sa marraine, en cette nuit de la Grande Greffe. La marraine qui avait insisté : *Deuxième conseil : Changez de côté, vous vous êtes trompés !*

Et il avait promis. Et il était trop tard. Et il était coincé. S'il restait là, il manquerait à son serment. Sa parole d'honneur. Il n'avait d'autre choix que d'essayer. Et il courait presque. Il enlevait son manteau, enlevait son chapeau. Sans ralentir le pas. Comme une flèche dans l'allée centrale de l'église. Sur les paroles en fond du curé sans écho. Les portes doubles s'ouvrirent devant l'urgence et grincèrent de gonds au vent du dehors. L'homme à la ceinture bouclée western était sorti. Par chance que le bedeau n'était pas loin. Pour refermer au plus vite et calfeutrer de nouveau.

Tout le monde se retourna vers l'autel en éclatant du désarroi. Parce que l'homme fort du village avait perdu la tête. À vouloir combattre le feu. Sans eau. La prière gagna en intensité chez tous les saints de secours.

— Les femmes z'ont chaud, vobiscum et domino.

— Amen.

La battue

De longues minutes s'étaient écroulées. Pas très nombreuses, mais dans les plus étirées. Le deuxième à allumer, ce fut le forgeron. Pour s'adresser à la foule. Pour réagir trop tard. À crier par-dessus le curé que la situation s'aggravait. Que Ésimésac était parti seul combattre une fournaise géante. Qu'il n'y arriverait pas. Et qu'il fallait aller le chercher avant que ça ne finisse en méchoui. Le forgeron Riopel invoqua la battue générale. Pour éviter un mort unique. Plutôt y passer tous ensemble. Et la cohésion multiple de se lever d'un bond. À se dégréer du surplus et à sortir en manches courtes ou retroussées. Dans l'allée centrale de l'église. Sur les paroles en fond du curé sans écho. Les portes doubles s'ouvrirent devant l'urgence et grincèrent de gonds au vent du dehors. Tout le monde était sorti. Par chance que le bedeau n'était pas loin. Pour refermer au plus vite et calfeutrer de nouveau. À l'extérieur, chacun prit sa direction pour aller fouiller à la recherche du manquant.

Le curé neuf était maintenant seul à l'onction. Il hésitait dans sa prière. Vacillait. Chuchotait. Son orémus en solo. À se rémousser lui-même. À s'autorémousser. Jusqu'à ce qu'il décide de sortir lui aussi. Dans l'allée centrale de l'église. Les portes doubles s'ouvrirent lentement. Le bedeau n'était pas là. Et ça resta ouvert, à grincer de gonds au vent du dehors.

Le curé se posta sur le perron emboucané. Il vit tous ses gens revenir. Goutte à goutte. En sueurs. Pour se rassembler et conclure. Bredouilles de leur chasse à l'homme. Pour se compter et se décompter. Pour s'apercevoir qu'il en manquait toujours un à l'appel. Ésimésac Gélinas. Porté disparu.

L'air était de plus en plus chargé. Tellement de poussières brûlées que ça devenait du solide à respirer. De la poffe de toffes. Les cous se renfrognaient dans les épaules pour que les cols de chemise servent de filtres devant les bouches. À suffoquer. Le désastre avait franchi la limite. La forêt qui brûlait maintenant était la nôtre. On soupçonnait même quelques cabanes de bois déjà concernées. Restait qu'à attendre la fin.

La pirouette

Dans la saturation atmosphérique, les narines humaines discernaient mal. Snif. À effleurer de nez, on finit quand même par déceler un lointain parfum âcre. Snif. Comme une odeur de muscles. Snif. Et à suivre le doigt du fumet, en montant le menton, les regards prirent l'axe perpendiculaire. Les yeux en l'air. Pour repérer, à travers les lambeaux de fumée, une silhouette qui se dessinait. Un contour. Avec quelqu'un dedans. Ésimésac Gélinas. L'unique. Perché là-haut. Sur la fine pointe du clocher de l'église.

Dans son vertige, Ésimésac avait l'angle rare. Il voyait plus loin que les autres. Il distinguait la ligne du feu chargeant vers le village. Dans cette nuit diurne, comme un horizon rouge d'aurore multiple. Un lever de cinquante soleils simultanés. Un brasier capable des premiers jours du monde. La lumière saturait le village. Comme de la lave chaude en suspension. Et l'air enfumé qui se remplissait de cette clarté. Et la phosphorescence tellement dense que la réalité devenait aveuglante.

Ésimésac porta son regard vers la foule. Plus personne n'avait d'ombre. Par surplus de lumière. Il hocha vers la sienne. Elle avait germé. Sous l'effet spécial. Une tige de chêne de sept ou huit pieds retenue à ses semelles de kodiaks. Juste assez pour lui donner le courage, et le coup et la rage nécessaires. Il empoigna la girouette d'aluminium par le ventre et entreprit son tour. Dans le cercle. Il força sur l'oiseau de métal. À bouger d'un degré puis d'un autre, sans dévier du pivot. À tenir et trembler de forçure. Les veines du cou comme des doigts qui étranglent. À forcer comme si chaque tranche de la circonférence avait sa coche à tailler. Par petits coups. Et à forcer, surtout et par-dessus ce qu'on imagine. *A fortiori*. (Je demandais souvent à ma grand-mère pourquoi il était si fort. Elle me disait qu'il était fort parce qu'il forçait.) La girouette tournait lentement. D'un cran, d'un quart et encore. Un peu plus. Et tout le monde, en contrebas, ne trouvait qu'à retenir son souffle pour ne pas nuire à l'exploit. L'angle obtus et demi-tour. Jusqu'à cent quatre-vingts degrés. Fendue en deux. La girouette virée bout pour bout. Et l'homme dessous qui maintenait la pression. Pour garder le cap. Tenir la direction. Et qui criait de sa rage poumonique.

— Changez de côté, vous vous êtes trompés.

Le feu

Le climat surprend, mais le vent a ceci de stable, malgré tout ce que la météorologie actuelle donne à croire, qu'il obéit à la girouette. S'il est une chose dont on peut être certains, elle réside dans le vent. Le seul qui suit sans faille la direction donnée. Cette fois-là encore. Il prit le pas dans le sillon du clocher. Et il venta vers ailleurs, pour une première historique. Suivant ce gouvernail que le capitaine Gélinas braquait à reculons.

— Changez de côté, vous vous êtes trompés.

Le feu reprit sa direction d'origine incontrôlée. Il alla mourir là où il était né, emportant avec lui tout ce feu fou.

Saint-Élie-de-Caxton fut épargné. Les gens de Saint-Mathieu-du-Parc en furent les premiers étonnés. Eux qui étaient déjà à se reconstruire. Entrepreneurs optimistes. Égoïnes et marteaux en branle. Ils furent rerasés aller-retour. Ils en gardèrent bien une petite rancune pendant quelques mois, mais notre conseil municipal plaida la légitime défense. Et puis tout s'effaça. Même l'odeur du feu dans les vêtements. Tout sauf la suie dans les mémoires. Là où les grandes noirceurs s'incrustent le mieux. Ésimésac fut honoré du pompier malgré soi.

Depuis ce jour, à Saint-Élie-de-Caxton, on distingue bien les forces. Ma grand-mère disait que s'il y a celle qui éteint les feux, il y a l'autre, plus grande encore, qui fait tourner les vents.

CHAPITRE 3
L'ENTRAIN À VAPEUR

[...] l'expérience nous montre qu'aimer
ce n'est point nous regarder l'un l'autre
mais regarder ensemble dans la même direction.

Antoine de Saint-Exupéry

1921

LES PASSAGERS POUR ICI

Ma grand-mère qui me racontait des histoires. D'une façon à se réinventer le monde en permanence. Jusqu'à refaire toutes les origines. Et à puiser à toutes ces genèses pour se rénover le quotidien. Ma grand-mère est devenue un leitmotiv. Loquace. Presque une locomotive.

* * *

On repartait. La pierre de l'église épuisée d'anecdotes. Un doute dans mon œil sur le contenu réel du coffret sous les chiffres marqués. 1921. Hésitant, mais à me dire à la fois que le plus juste était sans doute cette hypothèse de ma grand-mère. La mieux placée pour y voir clair.

On reprenait le chemin. Déjà presque revenus au point de départ. Le taux de sucre vers les huit points. Ne restaient que quatre maisons à nous devancer. On passait devant la Quincaillerie Gendron. Ma grand-mère me répétait que c'était là l'ancienne gare du village. Une gare. Alors qu'on sait tous que le chemin de fer n'a jamais allongé ses rails jusqu'à Saint-Élie-de-Caxton. Quand même une gare. En m'expliquant qu'on se doutait bien qu'on n'aurait jamais le train. Autant ne pas se fier là-dessus pour attendre une gare. Aussi bien s'en construire une soi-même quand tu sais que personne n'en offrira. Comme s'il fallait attendre la mer avant de se doter d'un port. Et puis de toute façon, les gens du village ne sont pas parteux. Nos oreillers sentent bon et les plus aventureux se contentent d'imaginer. La gare suffisait aux aspirations du voyage. À connaître la chance de s'acheter un billet, de placoter un peu, et de coucher à la maison. Attendre le train, ça fait de quoi. À dire. Surtout quand il ne vient pas.

Par opposition, le village de Charette, une autre pétale municipale voisine, eut droit à son train. La traque parallélipède tendit les bras jusqu'à eux. Ils eurent le train, mais ils n'ont toujours pas de gare. À chacun son attrait. Parce que vient le jour où il faut faire des choix dans la politique de développement. Pour notre part, la gare. Donc. Ma grand-mère en tenait un chapitre complet dans sa sacoche.

L'ÈRE DE LA VACHE MAIGRE

Dans l'année qui suivit la grande sécheresse de l'archiduchesse, on vit survenir l'ère de la vache maigre. Une ère connue. Pour ceux qui se tiennent éloignés des soucis horoscopiques, il faut préciser que ça dit ce que ça veut dire. Rien à chercher. Ni de midi ni de quatorze heures. Plutôt à l'inverse d'aujourd'hui. Parce qu'il faut bien le dire. Le zodiaque traverse présentement un creux de vague qui lui nuit du matin au soir. Une période de déclin. Je parle pour ma grand-mère. Et je consens. Pour avoir versé amplement dans les sciences astriques, j'ai dû finir par me résoudre. D'abord parce qu'on nous réduit les signes à des publicités dans les journaux. Avec l'impression imprimée que les rabais des encadrés s'adressent à nous. Ensuite parce que ça nous coûte des trois dollars et quarante-neuf pour se faire tirer un futur incertain d'une minute dans des cartes qu'on ne nous permet même pas de brasser. À donner le goût de changer de signe pour éviter de se faire prendre. Et puis voilà. Le blâme nous revient à tous. En tant que lecteurs intermittents de nos destinées semblables. Ces providences que l'on rabroue pour si peu que ça ne nous plaît pas. À lire nos lignes quotidiennes et à oser s'opposer. Parce que tout est dans l'attitude. Que chacun est le mieux placé pour se noyer lui-même. Présentement en pleine ère du verseau. Et on ne cherche même pas la définition du mot. Et on se le répète avec le sourire. Le verseau. Comme si ça nous obligeait à être optimistes.

À l'époque, la bonne aventure ne se remettait pas en question. On prenait l'intégral et on suivait le lu. Parce que les gens avaient conscience de n'être pas seuls parmi les scorpions. Parce que le jour où on commencerait à brouiller le destin, on mélangerait la constellation entière. En effet domino, tous les scorpions du monde se verraient déjoués. Et les taureaux à cheval sur les vierges. Et les lions en liberté.

On a l'air de s'égarer, mais il n'en demeure pas moins que suivant la sécheresse, on vit poindre l'ère de la vache maigre. Et ça disait tout. En gros, qu'on récolte ce que l'on sème.

Les récoltes

Comme chaque printemps, dans les jardins, les habitants du village avaient semé de la graine. L'automne venu, par manque de pluie, ils écartèrent la poussière des rangs de leur potager pour reprendre leur semence. Et très peu d'espoir. Surtout que la graine a pour caractéristique de n'offrir qu'un mince éventail de nutriments dans la gueule de celui qui ose. Une semence de radis n'a jamais donné de très belles tranches. La graine de carotte peut être sucée longtemps avant de laisser filer quelque calorie de béta-carothène. On cueillait donc la famine à pleines clôtures. Les caves encore vides. Et pourtant, un orgueil de village à se convaincre qu'on passerait à travers. Qu'on vivrait sur les réserves des patates à Irène. Même si on savait bien d'Irène que ses patates germées avaient séché comme des chips.

Les enfants, comme toujours, furent les premiers à avoir faim. À la rentrée scolaire, ils se rongeaient les ongles en ordre de grandeur. La maîtresse, grise de sœur, marquait ses intervalles de dix minutes par des interventions de ne pas manger leurs doigts. Et la disette croissante. Vers la fin d'octobre, ils se grugeaient entre eux. Et de ne pas manger vos amis.

Mi-novembre, l'école en entier se digérait les parois intérieures de l'estomac. Une couche de matériau comestible qu'on ne mange que très rarement mais qui se révèle utile. Pour combattre l'appétit. En cas de grossière nécessité seulement.

Non pas que ce soit très douloureux, mais ça mène du vacarme sans bon sens. Des gargouillis bruyants qui résonnent dans le réservoir vide. À ne plus s'entendre penser.

Au fort de l'accumulation auditive, la maîtresse manquait de décibels pour repasser ses leçons. Elle convoqua donc une séance extraordinaire du comité de parents pour ajourner la session entamée. Demander l'armistice. Et qu'ils pouvaient bien s'autodigérer à la maison après tout.

Début décembre, pour n'aider personne, l'hiver se jeta dans le paquet. Comme un assaut de frette. Comme un relent de guerre froide à vous glacer le sang dans les veines. La structure du pont Duplessis de Trois-Rivières se brisa en miettes sous la vague de gel.

Du vent, du vent, et de la neige. Il tombait des peaux de lièvres. Des montagnes de blanc. Une altitude nouvelle à apprivoiser. Tellement d'accumulations que le cheval du bedeau s'était brisé une patte dans la cheminée du presbytère. Et Rockeur Garceau, celui à qui on avait refilé le contrat de déneigement du perron de l'église, frôlait l'épuisement professionnel. Un débit de précipitations si surprenant qu'il avait dû creuser un tunnel pour permettre l'accès à l'église. Un corridor en forme de J qui partait de la surface pour rejoindre les portes centrales. Suffisait d'enlever votre manteau et de vous abandonner dans le trou. Avec de la chance, vous retombiez assis dans votre banc.

Rockeur Garceau, il ne s'en remit que des années plus tard. Il pelletait encore cette neige au mois d'octobre suivant. Pas fini d'enlever l'antécédente que l'hiver d'après commençait déjà à rechuter. Et quand on a faim, le froid prend plus de place dans le vide ambiant. On grelotte plus quand on n'a rien sous la dent. Du moins, ça s'entend mieux. Et la douleur est de ces sensations qui s'amplifient avec l'ouïe.

Par opposition au fatum général, le temps des Fêtes s'en venait. La fébrilité habituelle manquait. L'engouement avait ramolli. On avait l'avent pendant. Les réjouissances s'annonçaient dans des allures de carême. On entamait le dernier droit. Un dimanche, on remarqua. Le curé neuf lui-même. En chair. De moins en moins. Personne n'échappait à la famine.

Aux annonces paroissiales, le curé souligna l'allure de tousser de chacun. Il prétendait que ça risquait de manquer d'allégresse pour le Divin Enfant. Autant sauter notre tour.

— Si vous vouliez, nous z'irions z'assister z'à la messe de minuit z'à l'église de Charette.

La messe de minuit

Ils cherchent un accusé,
ils trouveront un complice.
Éric-Emmanuel Schmitt

La messe de minuit dans un village concurrent, ça fait gricher le patriotisme. Le petit peu d'énergie disponible aux troupes avait servi à rouspéter sur l'offre du curé. La messe de Noël est une chose que l'on partage entre nous. En plus qu'on étrennait une église neuve. Se rabaisser jusqu'à fermer le soir de la Nativité pour une célébration chez les voisins? Il est de ces choses qui ne se tolèrent ni dans le discours ni dans la pratique. Comme manger par en arrière dans une partie de dames. À Saint-Élie-de-Caxton, on est trop proches de nos rassemblements pour oser en laisser un de côté.

La réaction fut générale. Qu'ils allaient lui montrer, au curé neuf. Que la messe de minuit de cette année-là serait la plus grandiose jamais vue.

Le 24 décembre, l'église voulait fendre sous la plénitude. Du guichet fermé. Ça débordait jusque dans le portique. Le jubé ployait sous les familles entières. Les chandelles, les cierges et les lampions vous éclairaient le cœur jusqu'en dedans. Comme si la pâleur des teints laissait filtrer la lumière au-delà de la peau. Et les gens souriaient en pleurant. Comme si c'était encore possible d'espérer par-delà la faim. Un spectacle bouleversant.

Tous les enfants du village avaient été déguisés en anges. Des robes blanches et des ailes découpées dans du styrofome bleu pâle. On avait installé deux grandes bandes de velcro au plafond voûté de l'église. Avant que les gens entrent, on avait suspendu l'ensemble des anges dans ce ciel intérieur. Un derrière l'autre. Qui continuaient de se digérer, en arrière-plan. Leurs gargouillis s'éparpillaient à travers les toussotements, les chuchotements, les rots creux et les petits commentaires discrets.

À gauche de l'autel, les paroissiens avaient droit à l'évolution natale de la crèche vivante. Quoique beaucoup moins vivante que les autres années. Une crèche vivotante. Les bergers, la paille et les animaux. Les mages les mains vides. Et la Marie accouchait en permanence depuis la messe de neuf heures. Pas loin d'une douzaine de nouveau-nés à son actif. À croire qu'elle fabriquerait le set des apôtres au grand complet. Avec une carence en calcium.

Sur la droite, la chorale. Qui faisait du chantage. Les belles voix de Mme Solange. Elle qu'on surnomme « L'amie Sol », pour l'accord en septième. Mme Solange qui vous dégourdissait les gosiers de ses gestes saccadés. Comme une musicienne de ces instruments de gorge. Et l'orgue résonnait. Le forgeron Riopel avait poussé son *Minuit, chrétiens*. Avec cette voix basse du stentor qui l'habitait. Depuis quelques années, il avait développé cette gravité vocale saupoudrée d'un vibrato slaque. Un chanteur qui entonnait et étonnait. Une voix qui lui venait des tripes. De l'appendicite, même. Parce que tout le monde le savait. Le forgeron était très vulnérable de l'appendicite. Aussi, comme il fallait l'opérer régulièrement, le docteur avait choisi de ne plus le recoudre entre les interventions. De cette façon, le forgeron, avec son petit doigt, pouvait aller se chercher l'appendicite et se la sortir à bon escient. Suffisait ensuite qu'il se la roule entre le pouce et l'index pour se donner le trémolo émotif si nécessaire au *Minuit, chrétiens*. Il se la viraillait tout au long des couplets. Et quand venait cette note, vers la fin, la note du *NOËËËËL* qui frôle le bris vocal, le forgeron n'avait pas le bras assez long pour moduler. Il fallait que Solange elle-même lui empoigne l'extrémité du pédoncule pour l'étirer jusqu'à atteindre le sommet chromatisant. De l'émotion pure. À vous arracher presque les yeux avec les larmes.

* * *

La messe allait bon train. Jusqu'à ce critche… boum. Comme un bruit soudain de déchirement suivi d'un impact sur le sol. En plein ce qu'on craignait. Le pire. Un ange déchu et chu et déçu et sens dessus dessous. Un enfant s'était malencontreusement dévelcrotté pour venir s'écraser dans une des rangées du fond. Par chance que les ailes en styrofome l'enveloppaient. Sans la protection de son plumage synthétique, l'ange se brisait en deux.

— Il est-tu mort ?

— Non ! Il se digère encore !

Le docteur s'était pointé d'intervention. Ce fameux docteur, l'homme de toutes les urgences. Un rapide sur le piton. Soupçonné de dormir avec un gyrophare sur la tête. Un plan de couverture de risques à défier les pires *acts of God*. Le docteur, donc, sur un pied d'alerte. Avec son vieil outil d'écoute de cuir dans le cou. Un appareil de la famille du stéthoscope actuel, la terminaison tâteuse en moins. Cette version ancienne de l'instrument, elle allait sous la surface. Une pointe de métal luisante. Un harpon gentil. Plutôt que d'effleurer, il pénétrait. Le docteur dut planter la mèche dans le ventre du petit pour voir.

— Je n'en crois pas mes yeux.

Quelqu'un replaça les écouteurs dans les oreilles du docteur.

— Ça parle !

Le docteur éberlué. Lui que l'on savait d'expériences. Lui qui avait bravé les pires fléaux. Sorti indemne des chevets de grippe espagnole et autres épidémies. La fièvre jaune, le choléra brun et les bleus. Pour avoir soigné des plaies putréfiées, des démembrements involontaires et des maladies rares. Le curriculum vitæ épais comme une bible. Et on le voyait ébaroui. Pour la première fois. Face à l'inconnu. Et pas du plus stabilisant d'inconnu, si on s'en fiait à ses sourcils perplexes.

— Pour être certain, il faudrait en écouter un autre.

Babine, le fou du village qui agissait à titre de bedeau, courut à la sacristie. Il rapporta cette longue perche qu'on utilisait pour suspendre les décorations au plafond. Le docteur y alla d'un hasard et décrocha un autre ange à observer. Simagrées, stéthoscope, écoute et dubitations. Il s'en décrocha un troisième et un autre. Pour se confirmer le jamais vu. Ce ne fut qu'après s'en être dévelcrotté et ausculté une bonne douzaine qu'il osa un diagnostic. Le monde entier était suspendu à ses lèvres médicales.

— LE VENTRE DE VOS ENFANTS PARLE…

À ces premiers mots, le curé, de son côté spirituel, gesticula de tous ses bras. En voulant dire de se taire. Parce qu'il considérait que ses ouailles en avaient assez des tragédies accumulées dans l'année en cours. Il implora en gestes qu'on laisse les mauvaises nouvelles tranquilles. Et le docteur comprit. En déontologie, il s'approcha du curé pour ne lui annoncer qu'à lui. Dans l'oreille. À volume tellement bas qu'il eut été facile de croire que personne n'en saurait jamais rien. Mais le bedeau n'était pas loin. Et il avait entendu entre les branches. Lui qui présentait d'ailleurs des branches écartées de façon surprenante. Plusieurs maîtres de cirque l'admiraient pour sa contorsion des branches. Il avait donc tout entendu. Et il répéta de son mieux.

— Le ventre des enfants parle. Et tous ces bedons disent la même chose, en boucle, sans fléchir de la répétition.

— Ils disent quoi au juste?

— Que toute cette misère est due au chapelet d'Ésimésac Gélinas sur la corde à linge.

Consternation. La misère à cause d'un chapelet. Le chapelet d'Ésimésac. Sur la corde à linge. L'homme le plus fort du monde de Saint-Élie-de-Caxton. Son chapelet. Son erreur. La ceinture à boucle western dorée. Le coupable. Ésimésac Gélinas. Tout ça par sa faute. Sur son dos. À blâmer. L'auteur de la misère. Sur la corde.

Ça s'emportait. Dans un tintamarre hallucinant. Des voix multiples et enchevêtrées qui prenaient connaissance de la grande bavure. En crescendo. À exploser la cacophonie. Jusqu'à ce que le bœuf se lève debout dans la crèche. (C'est Ésimésac qui jouait le rôle du bœuf.) Et qu'il s'arrache les cornes de la tête. Qu'il regarde tout le monde dans le blanc. Avec autant de colère que de tristesse. Les yeux comme des coups de poing. Et le poids lourd sur ses épaules d'homme seul.

— Si c'est de ma faute, ce sera la dernière fois que c'est de ma faute.

Ésimésac tourna le dos. La queue entre les deux jambes pour tout restant de costume bovin. Il courut. Comme une flèche dans l'allée centrale de l'église. Les portes doubles s'ouvrirent devant l'urgence. L'homme à la ceinture bouclée western dorée prenait la fuite. Et tout le monde demeurait coi. Pour laisser passer le frisson dans les dos. Par froid et par frousse. Parce que dans le fin fond de chacun, il y avait la crainte que l'homme fort déménage. C'est toujours la même chose quand ça se produit. Dans les villages comme le mien, tout petits par le nombre, il est de ces hantises de voir son monde quitter.

— On va aller voir de quel côté il part.

Le forgeron Riopel avait parlé. La foule suivait. Par curiosité immobilière. En sortant par le tunnel en J. Tout le monde. La chorale, la crèche orpheline de bœuf, les anges, la foule, les servants et leur curé. Une armée de Noël. À marcher. S'enfonçant dans la neige jusqu'aux fesses. À suivre Ésimésac Gélinas à bonne distance. Pour voir sans être vus. Et l'homme en poursuite qui ne diminuait pas ses enjambées. Pousser par les pointes des accusations plantées dans son dos large.

À l'intersection de la rue Principale et du chemin des Loisirs, à la hauteur du Garage Léo Déziel, l'homme fort hésita. À droite ou. Il se lança tout droit. Vers le cinquième rang. Sur cette route qui déboucherait à Charette, le village contigu. Le déserteur marchait pressé. Comme s'il allait emménager cette nuit même. À Charette. Une honte sur nous. Parce qu'on sait bien que Charette a l'avantage du train pour soi. Les rails roulent de leur côté.

Ils marchèrent. Tous. À percer le sol neigeux de pointillés pédestres. À vol d'oiseau, ça devait ressembler à quelqu'un qui dort sur la touche des virgules en pleine page blanche. Et ça descendait le rang. À bon pas. Jusqu'à traverser la frontière et à aboutir à la hauteur de la fameuse traque de chemin de fer.

Ésimésac s'immobilisa. Il tomba à genoux entre les rails. Et comme si c'était encore trop lourd, il s'étendit de son long. Il se coucha sur la traque. Avec un souci du détail. Pour éviter que quelqu'un ne vienne l'enlever de sa dernière volonté, il sortit la langue et l'appliqua sur le tronçon de fer gelé. Collé. Définitif. Douloureux.

La cohorte des suiveux s'était cachée pas très loin. Dissimulée derrière un paquet d'arbres. À n'en pas croire leurs mieux. Persuadés que ça dépassait l'entendement proportionnel. Et que de toute façon, il n'y avait sans doute pas de train durant la Sainte Nuit. Mais que quand même. Ça demeurait à cheval entre la réalité et la difficulté de se le rentrer dans la caboche. Du détraqué. Ou quelque chose pas loin de ça.

Pendant les dix minutes froides qui suivirent, l'image transmise fut transie. Les pupilles embuées. C'est le forgeron Riopel qui dut réactiver la circulation sanguine.

— L'homme que vous voyez là, étendu sur la traque, c'est mon meilleur client. S'il meurt, je ferme boutique. Vous comprendrez…

Et le geste accompagnant la tirade, le forgeron s'avança vers les rails. Il rejoignit Ésimésac et s'étendit au-dessus de lui. En véritable homme d'affaires. Couché sur le dos, les pieds posés sur les épaules de son meilleur client. Et l'irrévocable. L'appendicite encore humide, il se l'étira jusqu'à la fixer sur le tronçon de fer gelé. Collé. Définitif. Solidaire.

— Pôpa !

La belle Lurette pleurait. Elle courait de toutes ses jupes et jupons enneigés. Elle rattrapait son père et s'étendait derrière lui, les pieds sur ses épaules et tendue de son long. Décidée, elle pinça les lèvres et porta un baiser sur les rails de fer gelé. Collée. Définitive. Belle.

Dièse, l'amant estropié pour blessures de guerre, honora son amour. Il s'y colla au-dessus de sa belle. Et Léo Déziel, le garagiste. Et Brodain Tousseur, l'éleveur de mouches. Et Babine, le fou du village. Et ainsi de suite, le recensement. Chorale, amis, collègues, maire, coiffeur, notaire. Jusqu'au curé qui adhéra. En soutane noire. Comme une cerise trempée dans le chocolat sur un sundae catastrophique. Le village complet gisait là. Un bel exemple de citoyens qui participent aux activités. Maintenant des corps allongés sur un mille de long. Collés. Définitifs.

Un suicide municipal.

Le train

On m'a dit que le doute,
c'est le Bon Dieu qui clignote.
David Portelance

Qu'il n'y ait pas de train prévu durant la nuit de Noël, ça tombe sous le sens. Mais des trains en retard, peu importe les fériés, ça fait partie de la vie. Et cette nuit-là, on se trouvait plongés dans la vie par-dessus la tête. Toute la puissance du réel retentit quand ils entendirent les sifflements au loin. Du côté de Saint-Paulin. Encore éloignés, mais roulant vers Charette. Des stridences de tchoutchou. Accompagnées d'une petite vibration dans les rails. Un tremblement qui se ressentait surtout par l'extrémité respective et humide que chacun avait choisi de s'apposer sur le fer froid.

Le train et son hurlement. À bonne vitesse. Sans doute déjà rendu à la hauteur des chutes à Magnan. Sur le grand pont de bois. Et sur le rythme des secousses cycliques, à ce bout-ci des compatriotes, les fois branlables. Quelques-uns qui se mettent à douter de la pertinence de leur situation. Et à juger du temps. À savoir qu'il est maintenant trop tard pour changer de position sur la question. Collés. Définitifs.

Quelques rares fantasques résistaient encore. Eux qui se disaient que de toute façon, ce n'était qu'une histoire parmi d'autres. Et qui ne savaient même pas qui oserait la raconter un jour. Et si ce quelqu'un saurait lire dans les décombres et membres éparpillés.

Plus l'engin s'approchait, et plus les regrets s'intensifiaient. Les certitudes se dégradaient en trombe. S'effondraient. Des records de remords. Même chez les plus courageux. La question était la même dans toutes les têtes. À se demander si on avait eu raison de suivre Ésimésac. L'initiateur du projet. Le premier à avoir poser l'extrémité de la démarche. La force de l'homme remise en doute. Et lui-même, l'homme sur qui les accusations reposaient, se remettait en question. Lui-même, dans une angoisse aussi profonde qu'on l'imagine. Qui se demandait s'il avait eu raison de se fier à la seule personne qui n'était pas là, avec eux, devant la mort. De faire confiance aux absents. Et à s'épuiser d'incertitudes dans son retour en arrière. Comme un flachebaque en français. Revoyant sa marraine, en cette nuit de la Grande Greffe. La marraine qui avait insisté : *Troisième conseil : Fais confiance au chauffeur !*

L'ACCIDENT

Le bonheur est un travail d'équipe.

Romain Gary

On revenait devant la maison. Moi et ma grand-mère. Son niveau frôlait la justesse d'un six virgule trois. Les deux petites marches et la longue galerie. Je calculais qu'elle se jouirait d'un six pétant en franchissant le pas de la porte.

Elle se déposait dans sa chaise berçante, ouvrait sa sacoche et remettait en place son gréement de navigation. Pepsi diet, kleenex, dentier. Sur le tribord de la fenêtre. Et le livre. Qu'elle gardait entre ses mains.

Elle me disait que cette nuit-là, on avait vu la lumière du train dessiner des reliefs dans le corps des épinettes. Dans la courbe devant eux. Et le train, le cyclope scintillant, s'était lancé dans le dernier droit. À ce moment où plus aucune intersection ne pouvait laisser espérer la bifurcation soudaine. La seule option souhaitée était celle de l'accélération. Pour que la souffrance dure moins longtemps.

Le train sifflait toujours. Et tintait. Avec sa cloche unique, comme un grelot avare dans un Noël tragique. Le sol tremblait sous la puissance du monstre à vapeur.

Ça s'approchait. Comme l'éclair et le tonnerre sur roues. Et au moment précis où la locomotive posa son phare sur les gens du village, l'effet contrasta. Les ombres des tous ceux qui gisaient se levèrent. À mesure que la lumière augmentait. Toutes ces ombres gonflèrent, comme fusionnées dans une seule et même. Une ombre immense et bombée. À faire croire au chauffeur en un mur géant. Ou en un tunnel sans fond. Et à l'hésiter, devant tant de noirceur. Devant l'urgence, le chauffeur perplexe y alla d'instinct. Sur toutes les manettes de freins disponibles. À déclencher des poignées rouges inconnues comme seules sorties de secours à ce carambolage imminent. Tirant les commandes et les freineries. Et le train s'arrêta. Trop vite. La locomotive immobilisée sur un dix cennes. Les wagons, pris par surprise, ne trouvèrent d'autre réflexe que de se dérailler. Dans une compensation gravitationnelle. Plutôt que de se lancer dans tous les sens, ils se tortillèrent avec discipline, s'emboutirent sur gauche et sur droite, l'un derrière l'autre, pour former un immense ramassis de wagons en accordéon. Un bouquet de fer suspendu dans un équilibre précaire sur les deux roues du devant de la locomotive.

Le réveillon

Il faut rêver ensemble.
Rêver tout seul ne sert pas à grand'chose.
Riccardo Petrella

La friction des freins avait suffisamment réchauffé les rails. Chacun en profita pour se décoller l'extrémité humide respective. Qui de langue, d'appendicite ou de baiser. Et à reprendre le calme laissé longtemps avant. Ésimésac fut le premier à se remettre sur ses pieds. Il s'avança vers la tortillade géante et appliqua la pichenotte finale à tout ce pathétique. Cling. Le train vacilla puis s'effondra dans la neige bleue de cette nuit de Noël.

C'était un convoi de fret. De la marchandise plein les conteneurs. Une livraison qui se déversa en corne d'abondance. De la viande fraîche, des biscuits, des oranges, des épices, du café, du tabac, du whisky, de la farine, du sucre en poudre, des patates rouges, du thé, de la mélasse, de l'huile à lampe, du rhum, du parfum rare, des cannages, du vin de Saint-Georges et autres énumérations comestibles. Inutile de mentionner le réveillon garni. Une brosse virée magistralement. De la brosse à démancher les plus acharnés cuirs chevelus. Soûl. Et pour longtemps. Le gros de la compagnie ne trouva à dégriser que le vingt-six décembre de l'année d'après. 1922 fut une année qui passa presque entièrement inaperçue dans l'amnésie alcoolique. On en croise encore de ces descendants des plus fêtards. Les yeux injectés de sang et qui prennent des aspirines en se levant chaque matin. Pour traiter un mal de tête qu'ils se transmettent depuis deux ou trois générations.

Un réveillon. Une intempérance intempestive. Mais surtout un grand réconciliabule. Parce que l'avenir venait de changer. D'abord, il y eut cet unisson entre tous. Pour avoir vécu cette grande symbiose le temps de quelques instants. Un futur promis au coude à coude. Puis on comprit la force mobilisatrice de l'homme à la boucle de ceinture dorée. Sa capacité à rassembler autour de lui cette masse imposante d'obscurités au bon moment. Parce que le déraillement d'un train, ça demande quorum, d'abord, et unanimité sans condition. L'ombre d'Ésimésac, aussi grande fût-elle, n'aurait jamais pu à elle seule s'imposer devant tant de tonnes de ferraille propulsées.

On arrêta de s'acharner sur l'homme le plus fort du monde de Saint-Élie-de-Caxton. On arrêta de le réduire au simple levier du monde. On arrêta de lui remettre toutes les bravoures entre les mains. On ne lui demanda plus d'être qu'un homme fort à lui seul. Son personnage devint presque inaperçu.

Son ombre continua de grandir. Un arbre de trente ou quarante pieds qui le suivait partout. Fixé sur ses talons de kodiaks. Une réputation beaucoup trop lourde à porter pour lui. Devenu l'ombre de lui-même. Ésimésac remit sa ceinture aux membres du conseil municipal en poste, se prétendant incapable de l'assumer plus longtemps. Il continua de forcer, dans l'ombre. On continua de s'en surprendre. Mais on ne lui en tint plus rigueur.

Les contes du village

Voilà. Une autre bribe des histoires tirées du village de Saint-Élie-de-Caxton. Une bribe, juste pour se donner une idée du total. Complètement extrapolant. Assez pour tracer un monde cartographique parallèle des continents internes du merveilleux. C'est un fragment de légende, comme il en est dans chaque racoin de la carte. Comme on en trouve dans tous ces villages qui se meurent de se voir disparaître. De la mappe et de la réalité. Avec l'exode massif vers des villes aimantées. Tout ce monde qui se mute en urbain pour laisser grimper les feuillages sur les ruines éventuelles de nos maisons de campagne.

Si un jour vient où la population entière se retrouve en ville, si le Québec complet habite un jour sur la seule île de Montréal, alors ça se noiera peut-être dans les eaux du fleuve. Sinon, mieux. Il s'en trouvera quelques-uns pour oser l'expédition. À ceux-là, il faut souhaiter une location de char, et une autoroute 40, direction est. Une sortie 166 et toujours vers le nord. Des routes sur lesquelles les fleurs auront peut-être repris le haut du pavé. À suivre les pétales. Et tenir foi en les pancartes. Et rouler toujours, jusqu'à n'en plus douter. Saint-Élie-de-Caxton. Qu'il est bien interdit d'engager les générations futures, mais qu'il faut le promettre quand même. Il s'en trouvera encore quelques-uns à garder le fort et à le parler. À veiller sur leur galerie pour veiller sur les paroles. Toutes ces rumeurs, ces légendes, ces chansons, ces recettes de cuisine qui s'effacent à mesure que l'oralité des villages se tait.

Ce jour-là, on devra s'y plier. On comprendra peut-être la démesure territoriale que demandent les légendes pour pousser. Et tous les points perdus de nos cartographies se reconstelleront comme un ciel mystérieux sur notre terre oubliée.

Épilogue

[...] tant que quelqu'un nous parle,
mourir est impossible.
Christian Bobin

Quand une histoire se terminait, ma grand-mère délivrait son livre. De sa petite main osseuse. De ses doigts croisés pour la chance qui s'étaient ankylosés par l'arthrite. Elle ouvrait la fenêtre à coulisses qui donnait sur la cour, et elle lançait le livre dehors. Dans l'élan, la couverture s'ouvrait. Les feuilles s'ébrouaient. Et avant même de toucher le sol, le livre se mettait à battre de l'œuvre, à tire-de-page, et à prendre le vol. Mes yeux ne comprirent jamais comment. C'était un livre sauvage que ma grand-mère analphabète avait dressé à venir pondre des histoires sous ses yeux. Elle savait la façon de rendre la chose magique. Comme si ce ne l'était pas encore assez.

* * *

Ésimésac est mort de sa belle mort. De nombreux anniversaires plus tard. Ma grand-mère disait que son cercueil fut construit avec les planches sciées dans l'ombre d'un chêne.

Ésimésac mourut parce que c'est comme ça. Parce que si on veut devenir une légende, il faut bien mourir. C'est une caractéristique du genre narratif en question. D'ailleurs, si ça peut aider à se convaincre, même ma grand-mère est morte. Ça donne idée de la preuve. Elle est décédée en 1994. Partie, mais tout y est encore. Sa maison beige, au coin des rues Saint-Pierre et Principale. Le toit transmis par testament à ma tante Clémence. Qui n'y a rien bougé. Par nostalgie ou par inadvertance. Parce que tout est à sa place. Surtout cette chaise berçante vide, dans laquelle personne ne s'assoie. Devant la vitrine. Le meilleur point de vue. La chaise qui ne branle plus, comme une épave dont aucun matelot n'ose reprendre la gouverne. Une chaise à sec, qui ne voguera jamais de nouveau. Parce qu'il est de ces bateaux qui perdent la mer quand on leur enlève le capitaine.

Achevé d'imprimer
en septembre deux mille cinq, sur les presses
de l'imprimerie Gauvin, Gatineau, Québec